Racine

Bérénice

Édition de
Richard Parish
Fellow of St. Catherine's College, Oxford

Gallimard

PRÉFACE

« De même qu'on dit qu'il faut passer tout un été à
Naples et un hiver à Saint-Pétersbourg, de même, quand
on aborde Racine, il faut aller franchement jusqu'à
Bérénice. »

SAINTE-BEUVE

Toute édition est une interprétation, et cette remarque est a
fortiori *vraie pour* Bérénice *(1670), la sixième pièce et la
cinquième tragédie de Racine. Parmi les tragédies dites de
maturité,* Bérénice *vient après* Andromaque *(1667) et*
Britannicus *(1669), et est suivie de* Bajazet *(1672).*

*Ces quelques faits nous indiquent déjà certaines des dif-
ficultés suscitées par une lecture diachronique de l'œuvre de
Racine. Exception faite d'une approche psychanalytique (Mauron,
Rohou), toute interprétation à partir d'une évolution linéaire
serait vouée à l'échec. Au niveau esthétique,* Bérénice *est le cas
limite du* corpus *racinien à trois égards : les* dramatis
personae *(trois personnages principaux ; trois confident(e)s :
un messager) ; l'*inventio *qui, nous sommes invités à le croire,
ne consiste qu'en une seule phrase latine ; la longueur (1506
vers). Si nous ignorions les données historiques, nous serions
peut-être tentés de situer cette pièce à la fin de la carrière du*

*dramaturge, comme l'ultime réduction d'une esthétique déjà
réduite. Pourtant la pièce qui lui succède, une année plus tard,
c'est Bajazet, œuvre dont la complexité de l'intrigue ainsi que
la violence du dénouement sont notoires. Mais si une lecture
progressive semble difficile, d'autres perspectives s'offrent,
dont nous retiendrons les deux suivantes : celle d'un Racine
guidé par les principes de la rhétorique (France, Hawcroft) ;
et celle d'un Racine voué à l'expérimentation (Weinberg,
Backès), selon laquelle* Bénérice *serait une « expérience »
parmi d'autres.*

RHÉTORIQUE : L'ART POÉTIQUE DE RACINE

*En prenant la notion de rhétorique dans le sens le plus large
du terme, nous pourrons évaluer les rapports de* Bérénice *avec
ses modèles classiques (*inventio*) ; la comparer avec le
principal document contemporain permettant de mettre en valeur
les particularités de la version racinienne (*dispositio*) ; quant
à l'*elocutio*, nous nous abstiendrons de dresser un catalogue des
ornements qu'on trouve dans* Bérénice, *catalogue qui serait
d'ailleurs commun à nombre d'œuvres classiques. Aussi ne nous
étendrons-nous pas sur cet aspect de l'art de Racine et nous
bornerons-nous à attirer l'attention du lecteur sur la relative
sobriété des figures employées.*

Inventio

*Trois domaines privilégiés fournissent à Racine la matière de
ses tragédies : l'Antiquité grecque, l'Antiquité romaine, la
Bible. L'histoire turque fournit la seule matière de* Bajazet.
*Et, en des termes très simples, nous pouvons identifier avec
chacun de ces domaines certains traits d'une éthique et d'une
esthétique dominantes. Ainsi dans les pièces romaines (*Britan-

nicus, Bérénice, Mithridate*) les questions d'État équivalent avec, ou même l'emportent sur les questions affectives, au
moins dans l'esprit des protagonistes :* Britannicus *nous
propose au premier plan un conflit dynastique, mis en évidence,
dans les limites de la pièce, à travers sa manifestation érotique ;*
Mithridate *traite de la dimension militaire de l'impérialisme
romain, à laquelle, cette fois-ci, la dimension sentimentale finit
par s'intégrer. Différentes préoccupations, d'autres équilibres
entre politique et sexualité, et (plus tard) mythe et théologie,
sont établis dans les pièces appartenant aux autres catégories.*

*Si les pièces romaines comportent d'abord une dimension
politique, celle-ci émane en partie des textes dont elles sont
tirées, textes historiques ou historicisants (à la différence des
textes grecs, dramatiques) et dont la perspective est nationale
plus que personnelle. Pourtant l'histoire qu'ils content diverge de
texte en texte, et diffère en même temps de celle que relate
Racine. Ainsi, si un seul texte antique est explicitement signalé
dans la préface de* Bérénice (Suétone)*, il est admis que deux
autres ont fourni des adaptations et des personnages (Flavius
Josèphe et Tacite).*

*Les grands éléments du récit fait par Suétone du règne de
Titus, dans la mesure où ils sont repris dans la tragédie de
Racine, portent surtout sur trois facteurs :*

1. Les prouesses militaires de l'empereur : « Au dernier
assaut de Jérusalem, il abattit douze défenseurs de la ville avec
le même nombre de flèches [...]. La joie des soldats et leur
amour pour lui étaient si vifs qu'en le félicitant ils le saluèrent
" imperator ". »

*2. La haute estime dans laquelle il était tenu par le peuple
romain :* « Titus, qui portait le même surnom que son père, [...]
fut appelé l'amour et les délices du genre humain (tant il fut
abondamment pourvu par son naturel, son savoir-faire ou la
fortune des moyens de conquérir toutes les sympathies). »

3. *Sa conversion d'une vie de dissipation dont, selon Suétone, Bérénice fait partie, parmi d'autres « débauches » :* « *Outre sa cruauté, on appréhendait encore son intempérance, parce qu'il se livrait avec les plus prodiges de ses amis à des orgies qui duraient jusqu'au milieu de la nuit ; et non moins son libertinage, à cause de ses troupes de mignons et d'eunuques, et de sa passion fameuse pour la reine Bérénice, à laquelle, disait-on, il avait même promis le mariage [...] ; enfin, tous le considéraient et le représentaient ouvertement comme un autre Néron. Mais cette mauvaise renommée tourna à son avantage et fit place aux plus grands éloges, quand on ne découvrit en lui aucun vice et, tout au contraire, les plus rares vertus.* » *Ainsi,* « *quant à Bérénice, il la renvoya aussitôt loin de Rome, malgré lui et malgré elle* ».

Les deux textes de Flavius Josèphe (Les Antiquités juives *et* La Guerre des Juifs*) fournissent certains traits supplémentaires : la beauté de Bérénice y est attestée, à côté de ses trois mariages, et des bruits d'un rapport incestueux avec son frère (fait que l'abbé de Villars relèvera dans sa* Critique de « Bérénice » *peu après la création, mais absent de la pièce de Racine). Mais c'est surtout la figure d'Antiochus qui est mise en valeur, notamment dans* La Guerre des Juifs*, qui souligne son courage au siège de Jérusalem :* « *C'était un valeureux guerrier, hardi par nature et doué d'une telle force que ses coups d'audace échouaient rarement* » — *sans toutefois que son nom soit jamais explicitement lié à celui de Bérénice. Enfin, les* Histoires *de Tacite donnent également priorité aux prouesses militaires de Titus, ne consacrant qu'un seul vers à la liaison entre Titus et Bérénice (dont l'âge relativement avancé est noté, fait que rappelle l'expression « belle surannée » employée par l'abbé de Villars).*

Ainsi l'invention de Racine, dont il est question dans la préface, s'approcherait davantage de l'acception moderne du terme (création) que du sens rhétorique (découverte). Les grandes lignes des textes historiques sont respectées, mais leur spécificité politico-morale est réduite au profit de la dimension affective. Les arrière-plans militaire et romain sont, bien sûr, retenus, voire mis en valeur à plusieurs reprises au cours de la pièce. Mais les « débauches » ne figurent qu'en passant, sans être développées ; et Bérénice, loin d'être identifiée aux incartades de l'empereur, est présentée comme le catalyseur de sa conversion à une conduite héroïque et altruiste.

Dispositio

Racine ne fut pas seul à réinterpréter l'histoire romaine au gré des goûts de son époque. Le Tite et Bérénice *de Corneille parut quelques jours seulement après la pièce de son rival, situant la création de* Bérénice *dans un contexte apparemment polémique (quel que soit le statut historique de la légende selon laquelle le sujet de* Bérénice *aurait été indiqué à Corneille et à Racine par Henriette d'Angleterre, belle-sœur de Louis XIV). Selon Gérard Defaux, qui évoque la nature conflictuelle de l'événement, « l'esthétique [de* Bérénice*] n'est rien [de] moins, par son essence même, que l'inversion de celle de Corneille » ; et l'on pourrait en dire autant de son éthique. La pièce de Racine se veut autre qu'une pièce rivale et, par son altérité même, se veut supérieure.*

Si la construction d'une pièce de théâtre à partir d'un ou de plusieurs textes historiques suppose un public, il s'ensuit qu'elle suscitera certaines réactions à la fois intellectuelles et émotives, et que le public sera amené à tirer certaines conclusions de l'histoire rapportée. Dans le cas de Bérénice, *ces conclusions concerneront les rapports entre l'individu et l'État, les valeurs d'une civilisation interprétées dans une optique étrangère, et la façon dont cette interprétation reflète une idéologie politique vécue (contemporaine), regrettée (passée) ou souhaitée (future)*

Les deux (Tite et) Bérénice *sont à l'origine d'une querelle esthétique, mais aussi d'un affrontement entre deux idéologies ; et la comparaison s'avère particulièrement révélatrice.*

Le Tite et Bérénice *de Corneille montre dès l'abord certaines divergences avec sa pièce rivale. Son genre est défini comme « comédie héroïque », c'est-à-dire comme pièce à matière noble, mais sans dénouement catastrophique ; et elle offre par ses* dramatis personae *une symétrie fort différente de celle de Racine. Dans* Tite et Bérénice, *quatre protagonistes affrontent le même dilemme.* Tite *n'est donc pas limité au choix entre Bérénice et son absence, mais entre Bérénice et la femme à qui il est promis en mariage, Domitie, qui est en même temps amoureuse du frère de l'empereur, Domitian. Tout cet axe, ainsi que ses extensions (notamment le rapport de rivalité Domitie-Bérénice), occupe plusieurs scènes de la pièce, et même, à un moment donné, Domitian envisage un quatuor d'amants réconciliés (bien que sans l'approbation de l'État) : « D'un seul mot prononcé vous ferez quatre heureux. » Cette possibilité est exclue d'avance par la structure triangulaire de* Bérénice.

Il existe également une différence de ton et de thème chez Corneille :

1. Bérénice *a déjà été exilée, et son retour à Rome constitue un coup de théâtre à la scène 5 du deuxième acte : « Et quoique par vous-même autrefois exilée, / Sans ordre et sans aveu je me suis rappelée. » Il s'agit, ainsi que chez Racine, de savoir si, oui ou non, Bérénice sera (ré-)exilée : « J'aurai peine à bannir la reine de ma vue. / Par quels ordres, grands dieux, est-elle revenue ? », mais en même temps de savoir si Tite épousera Domitie de préférence à Bérénice. Ainsi au thème du bannissement s'ajoute celui de la rivalité.*

2. La décision du sénat est attendue, et sera respectée malgré toute l'intériorisation du dilemme. Tite éprouve à certains moments les mêmes doutes que Titus, mais l'accent dans la pièce

*de Corneille est mis sur la décision du sénat concernant Bérénice.
Ainsi la perspective centrale de la pièce est davantage politique,
tandis que* Bérénice *est centrée principalement sur les mobiles
de Titus.*

3. *L'interprétation du suicide, et son rôle dans l'évolution du
dénouement, sont fort contrastés. Dans la pièce de Racine, le
suicide constitue l'issue noble, enseignée à Titus « Et par plus
d'un héros et par plus d'un Romain ». Chez Corneille, il est vite
rejeté, même comme hypothèse. Ainsi l'impression, si forte chez
Racine, d'un dénouement sanglant avorté au dernier instant est
perdue. Lorsque Tite le propose (parmi d'autres hypothèses,
également repoussées chez Racine, tels le mariage et l'exil),
Bérénice l'interrompt :*

Non, seigneur, ce n'est pas aux reines comme moi
À hasarder leurs jours pour signaler leur foi.
La plus illustre ardeur de périr l'un pour l'autre
N'a rien de glorieux pour mon rang et le vôtre.

*Cette perception est donc diamétralement opposée à celle de
Titus, et son rejet par Bérénice s'accompagne d'une interprétation également à l'inverse de celle qui gouverne le dénouement
racinien.*

4. *Certes les deux pièces accordent à Bérénice une tonalité
pathétique, mais la décision du sénat en sa faveur suscite une
réaction entièrement différente chez chacune des deux héroïnes.
La Bérénice de Corneille, qui est objectivement libre d'épouser
Tite, renonce au mariage afin de sauvegarder les valeurs
romaines (la raison d'État), et afin de ne pas fournir un
exemple néfaste aux générations futures qui, peut-être, « n'auraient pas des âmes si romaines ». À la différence de la Bérénice
de Racine, qui dicte le sens du dénouement, l'héroïne cornélienne
est comme convertie aux valeurs de Rome. Il ne reste, dans le*

dénouement de Tite et Bérénice, *qu'à introduire la perspective de l'union de Domitie et de Domitian pour créer l'impression d'un triomphe noble au service de l'État, dont les critères sont satisfaits, et pour couronner par une résolution sentimentale (qui jouxte la résolution glorieuse) une pièce à laquelle l'étiquette de « comédie héroïque » semble particulièrement appropriée :*

Du levant au couchant, du More jusqu'au Scythe,
Les peuples vanteront et Bérénice et Tite,
Et l'histoire à l'envi forcera l'avenir
D'en garder à jamais l'illustre souvenir.

Si nous avons insisté jusqu'ici sur les divergences, il demeure que certains thèmes sont communs aux deux textes. D'abord le motif de l'accession de Tite à une dignité supérieure : le statut qu'il acquiert au moment de devenir empereur est souligné dans la pièce de Corneille, ainsi que dans celle de Racine. En second lieu les craintes et l'incompréhension de Bérénice, qui l'incitent à interpréter les mobiles de l'empereur : la Bérénice de Corneille médite, ainsi que son homologue racinienne, les paroles de l'empereur, et cherche à se convaincre de l'engagement de celui-ci à son égard. Ces craintes s'accompagnent pourtant dans les deux pièces de la conviction (partagée par Tite comme par Titus) que l'empereur est aimé par Bérénice pour lui-même, et non pour son rang (à la différence de Domitie). Ensuite, l'hostilité au code qui donne priorité à la raison d'État, exprimée aussi bien par Domitie que par la Bérénice de Corneille. Enfin, le thème de la compensation, introduit dans les deux pièces, bien qu'exploité par Corneille plus que par Racine : Racine envisage le départ d'Antiochus avec Bérénice, solution dont les termes ne sont rejetés que par un appel à la bienséance dans la dernière tirade de Bérénice ; chez Corneille, Tite épouserait Domitie selon les vœux de l'État, et l'union de Bérénice et de Domitian leur servivait à leur tour de dédommagement, mais la réaction de la Bérénice de Corneille est également hostile.

« BÉRÉNICE » ET LE GENRE TRAGIQUE

La préface de Racine (parue le 24 février 1671) semble répondre efficacement à certains problèmes de définition relatifs au genre : « Ce n'est point une nécessité qu'il y ait du sang et des morts aans une tragédie ; il suffit que l'action en soit grande, que les acteurs en soient héroïques, que les passions y soient excitées, et que tout s'y ressente de cette tristesse majestueuse qui fait tout le plaisir de la tragédie. » *Définition de la tragédie en général ? Plutôt défense, ex post facto, d'une tragédie en particulier. Jean-Dominique Biard saisit l'essentiel de ce paradoxe :* « Le fait que cette nouvelle définition du tragique soit de la plume d'un dramaturge dont l'œuvre abonde en meurtres, suicides et autres issues fatales est assez remarquable. »

Mais se méfier de la préface ne signifie pas nier la réalité des problèmes qu'elle identifie. Ainsi que le reconnaît Goldmann : « Comme d'habitude, la préface de Racine nous indique seulement qu'il a vu le problème et qu'il a consciemment choisi la solution. » *Certes nous admettons que chaque tragédie de Racine est une œuvre autonome, dont les structures profondes la rapprochent peut-être d'autres tragédies, mais dont les particularités sont encore plus frappantes ; malgré cette précaution, cette reconnaissance d'une pluralité esthétique à l'intérieur du corpus racinien, Bérénice nous trouble. Et c'est dans cette perspective que les objections de trois critiques plutôt intransigeants, de trois « avocats du diable », nous guideront vers les difficultés les plus importantes, difficultés explicitement reconnues, d'ailleurs, par les tout premiers commentaires.*

Antiochus

« *Le personnage et les fonctions [d'Antiochus] sont peut-être*
sur-exploités dans la première partie [...] ; ils ne sont peut-être
pas à vrai dire nécessaires du tout dans la seconde » (*Bernard*
Weinberg).

Antiochus, ainsi que nous l'avons établi, est un personnage
dont les rapports historiques avec Titus et Bérénice sont des plus
flous : il est, stricto sensu, un personnage non historique,
surajouté au « rien » dont Racine fait son « quelque chose » ;
de plus il est, à certains égards, un personnage d'utilité. Il jouit
pourtant d'un très haut statut dans les premier et troisième
actes, puis subit une éclipse au quatrième, et se trouve enfin
réhabilité au dénouement, où il est intégré sur un pied d'égalité
au trio exemplaire.

Dire d'un personnage dramatique qu'il est fonctionnel paraît
péjoratif ; mais si nous examinons les fonctions que remplit
Antiochus, nous voyons bientôt qu'elles sous-tendent, annoncent
ou reflètent les thèmes principaux de la tragédie, réalisés dans
les figures de Titus et de Bérénice. Antiochus fournit un modèle
de l'abnégation ; il introduit les leitmotive verbaux
(« Hélas ! », « pour jamais », « pour la dernière fois ») et
thématiques (silence, exil, suicide) ; il inaugure et il clôt
l'action tragique. Mais il a une autre fonction plus cruciale :
Antiochus, qui rompt son propre silence à l'égard de Bérénice,
devient par suite le porte-parole de Titus. Il remplit de langage
fonctionnel l'espace silencieux de l'acte central de la pièce, et
permet ainsi à Titus de retrouver l'expressivité dans les deux
derniers. En servant de porte-parole entre Titus et Bérénice, il
agit (ou est censé agir) comme figure neutre, comme véhicule
insensible. Pourtant cette neutralité, cette insensibilité n'existent
que dans la perspective de Titus. Demander à Antiochus, à

l'insu des circonstances, d'être fonctionnel, c'est lui demander de remplir un rôle hautement dramatique.

Mais n'y a-t-il pas une autre difficulté ? Revenons à Weinberg : « Après que nos intérêts ont été attachés à Titus et à Bérénice (là où ils devraient être), nous résistons au renouveau et à la réintrusion de notre souci pour [Antiochus]. » La réhabilitation d'Antiochus serait donc malavisée, et constituerait comme une inconvenance. Deux éléments peuvent apporter une réponse :

1. Le statut moral d'Antiochus atteint un niveau qui autorise son inclusion dans le trio exemplaire. Il démontre tout au long de la pièce les mêmes qualités d'honneur militaire, d'altruisme, de responsabilité morale que ses homologues suétoniens. Il semble donc curieux de lui dénier tout statut exemplaire du simple fait de son caractère surajouté, comme si dans une création littéraire (drôle de paradoxe) seul le critère de vérité historique devait prévaloir.

2. Le statut sentimental d'Antiochus égale son statut moral. Les rapports entre Antiochus et Bérénice sont marqués par une intimité, par un respect mutuel, par une reconnaissance des droits de l'autre, enfin par une certaine discrétion. Mais les rapports entre Antiochus et Titus ? C'est là la relation critique ; car s'ils partagent un passé de hauts faits militaires, ils partagent aussi un lien d'amour : « Titus vous chérissait, vous admiriez Titus » ; « Vous m'avez, malgré moi, confié l'un et l'autre, / La reine son amour, et vous, seigneur, le vôtre. » Le modèle triangulaire est donc parfait, ainsi que l'égalité dans les rapports moraux et sentimentaux entre les trois protagonistes. Mais le triangle ne se révèle tout entier qu'à la dernière scène de la pièce, lorsque le suicide d'Antiochus est incorporé dans le pacte des suicides, à la suite de l'aveu de sa rivalité. C'est cette dernière marque d'égalité qui nous autorise à le considérer comme affirmant et parachevant la triple expression d'exempla-

rité qui, bientôt, constituera l'épilogue de Bérénice. *Plus
encore, c'est cette exemplarité partagée qui anéantit la distinc-
tion, artificielle en tout cas, entre personnages historiques et
personnage non historique, émotivité et fonctionnalité. Titus,
Bérénice et Antiochus atteignent une égalité exemplaire, malgré
leurs diverses origines textuelles, égalité dont les termes sont
énoncés par le dénouement de la tragédie de Racine, création
globalement fictive. Ils passent ainsi à un même statut
mythique.*

Titus

« *Titus n'est lié à Bérénice que par l'habitude [...]. Rome,
avec ses lois qui défendent jalousement la pureté de son sang, est
une instance toute désignée pour autoriser l'abandon de Bérénice* » *(Roland Barthes).*

*Dans quelle mesure les exigences de Rome servent-elles soit de
simple prétexte à Titus pour l'expulsion de Bérénice ; soit de
critère auquel il obéit malgré la répugnance foncière qu'il ressent
à leur égard ? Reconnaissons d'abord que c'est Titus qui
s'impose la décision d'exiler Bérénice, décision qui, dans la pièce
de Corneille, est prise par Bérénice elle-même, et bien que le
sénat approuve son union avec l'empereur. Racine désire que
l'interprétation des mobiles de Titus reste ouverte, et que le
spectateur-lecteur s'interroge à ce sujet. Et cela d'autant plus
que les contrepoints offerts par Bérénice et même par Antiochus
nous amènent progressivement à voir dans l'intransigeance de
l'empereur un barbarisme irréfléchi.*

*Deux remarques : l'une concerne les manifestations d'inex-
pressivité verbale chez Titus, dont la première, l'aphasie,
montre qu'il est incapable d'annoncer à Bérénice sa décision de
l'exiler :* « *Ma bouche et mes regards, muets depuis huit jours, /
L'auront pu préparer à ce triste discours* » ; *mais ils ne l'ont pas*

fait. Cette affliction, très répandue chez Racine, est non seulement décrite, elle se manifeste péniblement dans le silence qui termine la première rencontre de Titus avec Bérénice (II, IV). Ce silence suit, dans la même scène, un premier phénomène d'inexpressivité qui se manifeste de façon différente : Titus, affronté par une Bérénice qui le supplie de lui réaffirmer son amour pour elle, use d'un langage dépoétisé, à l'inexpressivité voulue, distincte de l'inexpressivité pure (l'aphasie) face à son angoissante déclaration. Ce dont Titus fait preuve alors, c'est de la conscience aiguë commune à tout personnage racinien du pouvoir de la parole, pouvoir qui s'exerce aussi bien sur le personnage qui parle que sur l'interlocuteur. La parole affirme et renforce en même temps qu'elle exprime, mais dans la mesure seulement où elle est expressive. Ainsi dans cette rencontre cruciale du deuxième acte, Titus enlève à une déclaration d'amour vraie toute tonalité qui puisse la rendre expressive : « Hé quoi ? vous me jurez une éternelle ardeur,/ Et vous me la jurez avec cette froideur. » Il est donc, pour résumer ces deux états, et dans ses propres termes, « un amant interdit ». Au dialogue de sourds s'est substitué un dialogue d'aveugles.

Ce n'est que lorsque la décision aura été transmise par Antiochus que Titus pourra risquer de donner libre cours à ses émotions (ce qui remplit Paulin d'inquiétude). Mais, même dans cette seconde rencontre (IV, V), Bérénice reste incapable de le comprendre.

La signification primordiale du monologue du cinquième acte, c'est donc de persuader Bérénice du poids du dilemme vécu par Titus, et de l'authenticité de son engagement amoureux à son égard ; et, en même temps, d'en persuader le lecteur-spectateur. Ainsi que Judd Hubert le reconnaît, « le but de l'empereur dès le début de la pièce, ce n'est pas de garder Bérénice auprès de lui, mais [...] de lui faire comprendre la situation aussi glorieuse*

*que désespérée où ils se trouvent tous deux. » Bérénice, affaissée
sur un siège, écoute, ainsi que les spectateurs, l'exposition des
mobiles les plus profonds de Titus ; et le simple « Hélas ! »
qu'elle prononce montre qu'elle accepte enfin l'interprétation de
Titus, et articule le pathétique ressenti en même temps par le
public. Elle, et nous, sommes convaincus par l'assurance de
l'empereur que son acte exemplaire sera poussé jusqu'au suicide,
comme preuve de l'authenticité du conflit qu'il a subi. Puisque
Titus parvient à en persuader Bérénice, nous sommes contraints
(n'en déplaise à Barthes et à Planchon) d'en être nous aussi
convaincus.*

*Mais pourquoi dans ce cas a-t-il choisi de subir ce conflit ?
Le critère de la gloire qui le gouverne, ou plutôt qui le poursuit,
comporte deux paradoxes. La gloire exige un sacrifice de soi à
une cause noble (la religion, l'État), qui peut être consacré à
un(e) bénéficiaire, et grâce auquel le héros en devient digne. On
pourrait nommer ce premier paradoxe celui du sacrifice créateur.
Bérénice a été seule responsable de l'éducation morale de Titus ;
c'est son influence qui est à l'origine des exploits militaires et
humanitaires de l'empereur ; c'est à elle qu'il est consacré et c'est
d'elle que Titus s'est rendu digne. Mais le même système de
valeurs comporte un paradoxe secondaire, selon lequel l'individu
même à qui les actes nobles sont consacrés peut en devenir la
victime (paradoxe qui, dans l'éthique cornélienne, ne fait que
renforcer la valeur glorieuse des actes) : « Tout ce que je lui
dois va retomber sur elle. » Ainsi que le commente Judd
Hubert : « C'est grâce à la reine que [Titus] a opté pour un
sentier plus ardu [...]. Titus, pour rester complètement fidèle à
Bérénice, doit donc l'exiler. » De plus l'ennoblissement de Titus
a pris la qualité d'un piège, car il lui a conféré, dans le contexte
de son statut de Romain et d'empereur (dont l'accession au
titre même a été vécue comme épiphanie), un code moral
inflexible.*

Mais Titus n'accepte ces termes qu'à contrecœur ; et c'est précisément ce paradoxe secondaire qui le mène à formuler l'intention de se suicider. « Titus reconnaît que son devoir l'a rendu coupable, qu'il l'a forcé à devenir monstrueux dans son ingratitude et dans sa cruauté » (Gérard Defaux). Il en résulte qu'il renverse dans son monologue l'expression traditionnelle des valeurs glorieuses, car il en est lui-même devenu la victime : « Ma gloire inexorable à toute heure me suit. » Titus, fournissant le contre-modèle de l'idéal cornélien, envisage une gloire extrinsèque et persécutrice, dont le héros est vaincu au lieu d'être vainqueur. Il vit ainsi ce paradoxe double : il se trouve, grâce au statut moral que lui a conféré Bérénice, obligé de le réaliser dans un contexte qui le rend objectivement grotesque. Selon les termes de Goldmann : « Son amour pour Bérénice est absolu *et il le restera jusqu'à la fin de la pièce [...]. Mais, d'autre part, le règne est, lui aussi, essentiel à son existence et il a ses exigences inexorables. » Ainsi la seule issue honorable, qui concilie la nature inadmissible de ce paradoxe avec le modèle des précurseurs romains, c'est le suicide. Lorsque Bérénice apprend de l'empereur que son suicide est prévu, elle reconnaît la bonne foi de son conflit. Le triple suicide est dorénavant l'aboutissement logique de tous les dilemmes de la pièce formulés jusqu'au milieu de la dernière scène. Mais il n'a pas lieu. Et ce refus du suicide constitue peut-être le problème le plus largement reconnu, et apparemment le plus incompréhensible de* Bérénice.

Bérénice

« Bérénice, à vrai dire, n'est pas une tragédie ; il n'y coule que des pleurs, et point de sang » (Théophile Gautier).

Bérénice, lorsqu'elle se lève pour prononcer la tirade qui clôt la pièce, interrompt un mouvement vers le suicide qui se faisait inexorable. Obéissant à divers codes, les trois protagonistes auraient néanmoins échappé, dans la mort, à leurs douleurs, et résolu leurs dilemmes. Ce qui serait resté à déterminer pourtant, c'est la signification posthume accordée à leurs sacrifices : et c'est pour qu'on ne se méprenne pas sur le sens de l'exemple que Bérénice les décommande.

Titus, conscient de son statut d'empereur, reconnaît que tout acte qu'il commet est doté d'une signification qui transcende époque et lieu particuliers — son théâtre est à la fois personnel et universel. L'exemple qu'il laissera est souvent évoqué, mais en particulier à la cinquième scène du quatrième acte : « Mais, madame, après tout, me croyez-vous indigne / De laisser un exemple à la postérité, / Qui, sans de grands efforts, ne puisse être imité ? »

L'exemple reste ici de nature imprécise (s'agit-il d'exiler Bérénice ou de se suicider ?) et ce n'est que dans le monologue du cinquième acte que le suicide est explicité. Mais il se dote en même temps d'une signification glorieuse. Le suicide, pour Titus, n'est pas la solution lâche, mais la solution noble et, pour tout dire, romaine : c'est l'exemple par excellence, ou perçu comme tel, de la conduite aristocratique poursuivie in extremis, *exemple transmis à Titus « Et par plus d'un héros et par plus d'un Romain ». Racine souligne ainsi une différence fondamentale entre ses protagonistes et ceux de Corneille ; et, en présentant le suicide comme noble et comme romain, il en fait une issue inévitable. Et c'est surtout cette insistance qui met l'accent sur les mobiles de Bérénice lorsqu'elle le rejette. Pour Corneille, le suicide est écarté facilement comme acte indigne ; pour Racine, c'est sa dignité même qui semble en faire la solution logique. De plus, puisque le suicide de l'empereur en déclenchera deux autres, puisque k'ensemble du trio exemplaire se suicidera, l'univers interprétera également la mort de Bérénice et d'Antiochus comme un sacrifice sur l'autel de la gloire romaine.*

Or *Bérénice* n'est pas romaine : au contraire, elle fournit un exemple éclatant de ce que décrit Emy Batache-Watt, pour qui « *la plupart des héroïnes raciniennes ne sont, en réalité, que des étrangères isolées dans des pays peu accueillants* ». Ses valeurs s'opposent aux valeurs romaines, dont sa présence même constitue une critique implicite. Plus encore : elle est reine, autrement dit, femme ; et, ainsi que l'interprète Gérard Defaux : « *Le conflit qui a lieu dans Titus est moins un conflit entre l'Amour et le Devoir qu'un conflit entre le Père et la Femme.* » *Bérénice* accepte comme un fait objectif l'aspect exemplaire de tout acte commis par Titus, par Antiochus, et par elle-même : le trio est, par définition, exemplaire. Lorsqu'elle se lève au dénouement de la pièce, quelque cinquante vers seulement avant la fin, elle parvient, en arrêtant le mouvement vers le suicide, à conférer une exemplarité toute nouvelle à leurs actes. Si elle considère que les princes sont « *trop généreux* », c'est à cause de tout ce que ce terme aristocratique comporte de barbare dans le contexte romain. La mort du trio exemplaire servirait d'affirmation de toutes les valeurs romaines qu'elle cherche à mettre en question ; et la sienne y contribuerait autant, sinon plus, que les autres. Un choix lui reste pourtant ; car le fait de ne pas mourir comporte aussi sa signification : il constitue le refus d'une échelle de valeurs inhumaine. Ne pas mourir, une fois qu'elle est certaine des sentiments de Titus à son égard, une fois qu'elle le sait prêt à se suicider, c'est aller à l'encontre de l'exemple glorieux, pour servir « *tous trois d'exemples à l'univers / De l'amour la plus tendre et la plus malheureuse / Dont il puisse garder l'histoire doulou-reuse* »

Mais n'y a-t-il pas, grâce à cela, un refus en même temps de la purgation — la « *catharsis* » antique — que provoque, selon les interprétations conventionnelles de la tragédie, la mort ou le suicide ? « *Ce n'est point une nécessité qu'il y ait du sang et des*

*morts », mais s'il n'y en a pas, quelles en sont les répercussions
sur la définition de la pièce ? Quand Bérénice réinterprète
l'exemplarité du trio sacrifié, elle remet plus encore en question la tragédie qui porte son nom (et ne porte que son
nom) à l'intérieur même du genre tragique. Comment le
fait-elle ?*

*Constatons, pour amorcer une réponse, un fait très simple.
Bérénice, ainsi que Titus et Antiochus à son instar, quitte la
scène. Elle nous prive ainsi de sa présence, elle exerce le « droit
de sortie » qu'invoque Barthes, droit dont tout autre protago-
niste racinien est privé. (Un parallèle implicite entre le départ et
la mort est particulièrement approprié dans une tradition
théâtrale qui, le plus souvent, évite la représentation de mort
violente sur scène.) Mais ce faisant elle s'écarte de la tradition
et déjoue notre attente au moment même du dénouement. Elle
remet en question toutes les valeurs qu'un sacrifice offert à la
gloire aurait réaffirmées. Par sa décision de ne pas mourir, mais
de quitter la scène, Bérénice effectue une purgation théâtrale,
définie par les attentes inassouvies ; mais ce n'est plus une
purgation des passions amoureuses ou politiques dépeintes dans
d'autres pièces de Racine. Ce dont cette figure, femme, et
étrangère, purge les lecteurs-spectateurs de* Bérénice, *ce sont les
passions romaines, les passions « plus nobles et plus mâles que
l'amour » de la théorie cornélienne : l'héroïsme, la glorification
de soi, l'impérialisme : bref, le fanatisme. Ce n'est point, en
effet, « une nécessité qu'il y ait du sang et des morts ». Mais
s'il n'y en a pas, l'exemplarité telle que l'interprète Bérénice
change de valeur ; et cette tragédie à laquelle elle met fin
représente une remise en jeu de la fonction tragique. Ainsi la
préface, dont les sentences semblent ériger une orthodoxie,
annonce plutôt une esthétique de réaction, qui nie certaines des
attentes les plus fondamentales de la tragédie, et de la morale
qu'elles sous-tendent. C'est dans ce sens que* Bérénice *est une*

anti-tragédie ; car son dénouement montre finalement comment, sous la revendication même de l'orthodoxie, se dissimule l'iconoclasme.

RICHARD PARISH

Je tiens à remercier Florence Bourgne de son aimable participation à la rédaction de ce travail.

Bérénice

TRAGÉDIE

À MONSEIGNEUR COLBERT

SECRÉTAIRE D'ÉTAT

Contrôleur Général des Finances, Surintendant
des Bâtiments, Grand-Trésorier des Ordres du Roi,
Marquis de Seignelay, etc.

MONSEIGNEUR,

Quelque juste défiance que j'aie de moi-même et de mes ouvrages, j'ose espérer que vous ne condamnerez pas la liberté que je prends de vous dédier cette tragédie. Vous ne l'avez pas jugée tout à fait indigne de votre approbation. Mais ce qui fait son plus grand mérite auprès de vous, c'est, MONSEIGNEUR, que vous avez été témoin du bonheur qu'elle a eu de ne pas déplaire à Sa Majesté.

L'on sait que les moindres choses vous deviennent considérables, pour peu qu'elles puissent servir ou à sa gloire ou à son plaisir. Et c'est ce qui fait qu'au milieu de tant d'importantes occupations, où le zèle de votre prince et le bien public vous tiennent continuellement attaché, vous ne dédaignez pas quelquefois de descendre jusqu'à nous, pour nous demander compte de notre loisir.

J'aurais ici une belle occasion de m'étendre sur vos louanges, si vous me permettiez de vous louer. Et que ne dirais-je point de tant de rares qualités qui vous ont attiré l'admiration de toute la France, de cette pénétration à laquelle rien n'échappe, de cet esprit vaste qui embrasse, qui exécute tout à la fois tant de grandes choses, de cette âme que rien n'étonne, que rien ne fatigue ?

Mais, MONSEIGNEUR, il faut être plus retenu à vous parler de Vous-même, et je craindrais de m'exposer par un éloge importun à vous faire repentir de l'attention favorable dont vous m'avez honoré. Il vaut mieux que je songe à la mériter par quelque nouvel ouvrage. Aussi bien c'est le plus agréable remerciement qu'on vous puisse faire. Je suis avec un profond respect,

MONSEIGNEUR,

Votre très humble et très obéissant serviteur,

RACINE.

PRÉFACE

Titus reginam Berenicen, cui etiam nuptias pollicitus ferebatur,
statim ab Urbe dimisit invitus invitam.

C'est-à-dire que « Titus, qui aimait passionnément
Bérénice, et qui même, à ce qu'on croyait, lui avait
promis de l'épouser, la renvoya de Rome, malgré lui et
malgré elle, dès les premiers jours de son empire ».
Cette action est très fameuse dans l'histoire ; et je l'ai
trouvée très propre pour le théâtre, par la violence des
passions qu'elle y pouvait exciter. En effet, nous
n'avons rien de plus touchant dans tous les poètes, que
la séparation d'Énée et de Didon, dans Virgile. Et qui
doute que ce qui a pu fournir assez de matière pour
tout un chant d'un poème héroïque, où l'action dure
plusieurs jours, ne puisse suffire pour le sujet d'une
tragédie, dont la durée ne doit être que de quelques
heures ? Il est vrai que je n'ai point poussé Bérénice
jusqu'à se tuer comme Didon, parce que Bérénice
n'ayant pas ici avec Titus les derniers engagements
que Didon avait avec Énée, elle n'est pas obligée
comme elle de renoncer à la vie. À cela près, le dernier
adieu qu'elle dit à Titus, et l'effort qu'elle se fait pour

s'en séparer, n'est pas le moins tragique de la pièce, et j'ose dire qu'il renouvelle assez bien dans le cœur des spectateurs l'émotion que le reste y avait pu exciter. Ce n'est point une nécessité qu'il y ait du sang et des morts dans une tragédie ; il suffit que l'action en soit grande, que les acteurs en soient héroïques, que les passions y soient excitées, et que tout s'y ressente de cette tristesse majestueuse qui fait tout le plaisir de la tragédie.

Je crus que je pourrais rencontrer toutes ces parties dans mon sujet. Mais ce qui m'en plut davantage, c'est que je le trouvai extrêmement simple. Il y avait longtemps que je voulais essayer si je pourrais faire une tragédie avec cette simplicité d'action qui a été si fort du goût des Anciens. Car c'est un des premiers préceptes qu'ils nous ont laissés. « Que ce que vous ferez, dit Horace[1], soit toujours simple et ne soit qu'un ». Ils ont admiré l'*Ajax* de Sophocle, qui n'est autre chose qu'Ajax qui se tue de regret, à cause de la fureur où il était tombé après le refus qu'on lui avait fait des armes d'Achille. Ils ont admiré le *Philoctète*, dont tout le sujet est Ulysse qui vient pour surprendre les flèches d'Hercule. L'*Œdipe* même, quoique tout plein de reconnaissances, est moins chargé de matière que la plus simple tragédie de nos jours. Nous voyons enfin que les partisans de Térence, qui l'élèvent avec raison au-dessus de tous les poètes comiques, pour l'élégance de sa diction et pour la vraisemblance de ses mœurs, ne laissent pas de confesser que Plaute a un grand avantage sur lui, par la simplicité qui est dans la plupart des sujets de Plaute. Et c'est sans doute cette simplicité merveilleuse qui a attiré à ce dernier toutes les louanges que les Anciens lui ont données. Combien

Ménandre était-il encore plus simple, puisque Térence est obligé de prendre deux comédies de ce poète pour en faire une des siennes !

Et il ne faut point croire que cette règle ne soit fondée que sur la fantaisie de ceux qui l'ont faite. Il n'y a que le vraisemblable qui touche dans la tragédie. Et quelle vraisemblance y a-t-il qu'il arrive en un jour une multitude de choses qui pourraient à peine arriver en plusieurs semaines ? Il y en a qui pensent que cette simplicité est une marque de peu d'invention. Ils ne songent pas qu'au contraire toute l'invention consiste à faire quelque chose de rien, et que tout ce grand nombre d'incidents a toujours été le refuge des poètes qui ne sentaient dans leur génie ni assez d'abondance, ni assez de force, pour attacher durant cinq actes leurs spectateurs par une action simple, soutenue de la violence des passions, de la beauté des sentiments et de l'élégance de l'expression. Je suis bien éloigné de croire que toutes ces choses se rencontrent dans mon ouvrage ; mais aussi je ne puis croire que le public me sache mauvais gré de lui avoir donné une tragédie qui a été honorée de tant de larmes, et dont la trentième représentation a été aussi suivie que la première.

Ce n'est pas que quelques personnes ne m'aient reproché cette même simplicité que j'avais recherchée avec tant de soin. Ils ont cru qu'une tragédie qui était si peu chargée d'intrigues ne pouvait être selon les règles du théâtre. Je m'informai s'ils se plaignaient qu'elle les eût ennuyés. On me dit qu'ils avouaient tous qu'elle n'ennuyait point, qu'elle les touchait même en plusieurs endroits et qu'ils la verraient encore avec plaisir. Que veulent-ils davantage ? Je les conjure d'avoir assez bonne opinion d'eux mêmes

pour ne pas croire qu'une pièce qui les touche et qui
leur donne du plaisir puisse être absolument contre les
règles. La principale règle est de plaire et de toucher.
Toutes les autres ne sont faites que pour parvenir à
cette première. Mais toutes ces règles sont d'un long
détail, dont je ne leur conseille pas de s'embarrasser.
Ils ont des occupations plus importantes. Qu'ils se
reposent sur nous de la fatigue d'éclaircir les difficultés
de la *Poétique* d'Aristote ; qu'ils se réservent le plaisir de
pleurer et d'être attendris ; et qu'ils me permettent de
leur dire ce qu'un musicien disait à Philippe [1], roi de
Macédoine, qui prétendait qu'une chanson n'était pas
selon les règles : « À Dieu ne plaise, Seigneur, que vous
soyez jamais si malheureux que de savoir ces choses-là
mieux que moi ! »

Voilà tout ce que j'ai à dire à ces personnes, à qui je
ferai toujours gloire de plaire. Car pour le libelle que
l'on a fait contre moi [2], je crois que les lecteurs me
dispenseront volontiers d'y répondre. Et que répon-
drais-je à un homme qui ne pense rien, et qui ne sait
pas même construire ce qu'il pense ? Il parle de protase
comme s'il entendait ce mot, et veut que cette première
des quatre parties de la tragédie soit toujours la plus
proche de la dernière, qui est la catastrophe [3]. Il se
plaint que la trop grande connaissance des règles
l'empêche de se divertir à la comédie. Certainement, si
l'on en juge par sa dissertation, il n'y eut jamais de
plainte plus mal fondée. Il paraît bien qu'il n'a jamais
lu Sophocle, qu'il loue très injustement *d'une grande
multiplicité d'incidents*, et qu'il n'a même jamais rien lu
de la *Poétique*, que dans quelques préfaces de tragédies.
Mais je lui pardonne de ne pas savoir les règles du
théâtre, puisque heureusement pour le public il ne

s'applique pas à ce genre d'écrire. Ce que je ne lui pardonne pas, c'est de savoir si peu les règles de la bonne plaisanterie, lui qui ne veut pas dire un mot sans plaisanter. Croit-il réjouir beaucoup les honnêtes gens par ces *hélas de poche*, ces *mesdemoiselles mes règles*, et quantité d'autres basses affectations, qu'il trouvera condamnées dans tous les bons auteurs, s'il se mêle jamais de les lire ?

Toutes ces critiques sont le partage de quatre ou cinq petits auteurs infortunés, qui n'ont jamais pu par eux-mêmes exciter la curiosité du public. Ils attendent toujours l'occasion de quelque ouvrage qui réussisse, pour l'attaquer. Non point par jalousie. Car sur quel fondement seraient-ils jaloux ? Mais dans l'espérance qu'on se donnera la peine de leur répondre, et qu'on les tirera de l'obscurité où leurs propres ouvrages les auraient laissés toute leur vie.

ACTEURS

TITUS, empereur de Rome.
BÉRÉNICE, reine de Palestine.
ANTIOCHUS, roi de Comagène [1].
PAULIN, confident de Titus.
ARSACE, confident d'Antiochus.
PHÉNICE, confidente de Bérénice.
RUTILE, Romain.
Suite de Titus.

*La scène est à Rome, dans un cabinet
qui est entre l'appartement de Titus et celui de Bérénice*

ACTE PREMIER

SCÈNE PREMIÈRE

ANTIOCHUS, ARSACE

ANTIOCHUS

Arrêtons un moment. La pompe de ces lieux,
Je le vois bien, Arsace, est nouvelle à tes yeux.
Souvent ce cabinet superbe et solitaire
Des secrets de Titus est le dépositaire.
5 C'est ici quelquefois qu'il se cache à sa cour,
Lorsqu'il vient à la reine expliquer son amour.
De son appartement cette porte est prochaine,
Et cette autre conduit dans celui de la reine.
Va chez elle : dis-lui qu'importun à regret,
10 J'ose lui demander un entretien secret.

ARSACE

Vous, seigneur, importun ? vous, cet ami fidèle
Qu'un soin si généreux [1] intéresse pour elle ?
Vous, cet Antiochus son amant autrefois ?
Vous, que l'Orient compte entre ses plus grands rois ?
15 Quoi ? déjà de Titus épouse en espérance,
Ce rang entre elle et vous met-il tant de distance ?

ANTIOCHUS

Va, dis-je ; et sans vouloir te charger d'autres soins,
Vois si je puis bientôt lui parler sans témoins.

SCÈNE II

ANTIOCHUS, *seul.*

Hé bien, Antiochus, es-tu toujours le même ?
20 Pourrai-je, sans trembler, lui dire : « Je vous aime ? »
Mais quoi ? déjà je tremble, et mon cœur agité
Craint autant ce moment que je l'ai souhaité.
Bérénice autrefois m'ôta toute espérance ;
Elle m'imposa même un éternel silence.
25 Je me suis tu cinq ans, et jusques à ce jour
D'un voile d'amitié j'ai couvert mon amour.
Dois-je croire qu'au rang où Titus la destine
Elle m'écoute mieux que dans la Palestine ?
Il l'épouse. Ai-je donc attendu ce moment
30 Pour me venir encor déclarer son amant ?
Quel fruit me reviendra d'un aveu téméraire ?
Ah ! puisqu'il faut partir, partons sans lui déplaire[1].
Retirons-nous, sortons ; et sans nous découvrir,
Allons loin de ses yeux l'oublier, ou mourir.
35 Hé quoi ? souffrir toujours un tourment qu'elle ignore ?
Toujours verser des pleurs qu'il faut que je dévore ?
Quoi ? même en la perdant redouter son courroux ?
Belle reine, et pourquoi vous offenseriez-vous ?
Viens-je vous demander que vous quittiez l'Empire ?
40 Que vous m'aimiez ? Hélas ! je ne viens que vous dire
Qu'après m'être longtemps flatté que mon rival
Trouverait à ses vœux quelque obstacle fatal,

Aujourd'hui qu'il peut tout, que votre hymen
[s'avance,
Exemple infortune d'une longue constance,
45 Après cinq ans d'amour et d'espoir superflus,
Je pars, fidèle encor quand je n'espère plus.
Au lieu de s'offenser, elle pourra me plaindre.
Quoi qu'il en soit, parlons : c'est assez nous
[contraindre.
Et que peut craindre, hélas ! un amant sans espoir
50 Qui peut bien se résoudre à ne la jamais voir ?

SCÈNE III

ANTIOCHUS, ARSACE

ANTIOCHUS

Arsace, entrerons-nous ?

ARSACE

Seigneur, j'ai vu la reine ;
Mais pour me faire voir, je n'ai percé qu'à peine
Les flots toujours nouveaux d'un peuple adorateur
Qu'attire sur ses pas sa prochaine grandeur.
55 Titus, après huit jours d'une retraite austère,
Cesse enfin de pleurer Vespasien son père.
Cet amant se redonne aux soins de son amour ;
Et si j'en crois, seigneur, l'entretien de la cour,
Peut-être avant la nuit l'heureuse Bérénice
60 Change le nom de reine au nom d'impératrice.

ANTIOCHUS

Hélas !

ARSACE

Quoi ? ce discours pourrait-il vous troubler ?

ANTIOCHUS

Ainsi donc sans témoins je ne lui puis parler ?

ARSACE

Vous la verrez, seigneur : Bérénice est instruite
Que vous voulez ici la voir seule et sans suite
65 La reine d'un regard a daigné m'avertir
Qu'à votre empressement elle allait consentir ;
Et sans doute elle attend le moment favorable
Pour disparaître aux yeux d'une cour qui l'accable.

ANTIOCHUS

Il suffit. Cependant n'as-tu rien négligé
70 Des ordres importants dont je t'avais chargé ?

ARSACE

Seigneur, vous connaissez ma prompte obéissance.
Des vaisseaux dans Ostie armés en diligence,
Prêts à quitter le port de moments en moments,
N'attendent pour partir que vos commandements.
75 Mais qui renvoyez-vous dans votre Comagène ?

ANTIOCHUS

Arsace, il faut partir quand j'aurai vu la reine.

ARSACE

Qui doit partir ?

ANTIOCHUS

MOI.

ARSACE

Vous?

ANTIOCHUS

               En sortant du palais,
Je sors de Rome, Arsace, et j'en sors pour jamais.

ARSACE

Je suis surpris sans doute, et c'est avec justice.
80 Quoi! depuis si longtemps la reine Bérénice
Vous arrache, seigneur, du sein de vos États;
Depuis trois ans dans Rome elle arrête vos pas;
Et lorsque cette reine, assurant sa conquête,
Vous attend pour témoin de cette illustre fête,
85 Quand l'amoureux Titus, devenant son époux,
Lui prépare un éclat qui rejaillit sur vous...

ANTIOCHUS

Arsace, laisse-la jouir de sa fortune,
Et quitte un entretien dont le cours m'importune.

ARSACE

Je vous entends, seigneur. Ces mêmes dignités
90 Ont rendu Bérénice ingrate à vos bontés;
L'inimitié succède à l'amitié trahie.

ANTIOCHUS

Non, Arsace, jamais je ne l'ai moins haïe.

ARSACE

Quoi donc? de sa grandeur déjà trop prévenu,
Le nouvel empereur vous a-t-il méconnu?

95 Quelque pressentiment de son indifférence
   Vous fait-il loin de Rome éviter sa présence ?

ANTIOCHUS

Titus n'a point pour moi paru se démentir :
J'aurais tort de me plaindre.

ARSACE

                        Et pourquoi donc partir ?
   Quel caprice vous rend ennemi de vous-même ?
100 Le ciel met sur le trône un prince qui vous aime,
   Un prince qui jadis témoin de vos combats
   Vous vit chercher la gloire et la mort sur ses pas,
   Et de qui la valeur, par vos soins secondée,
   Mit enfin sous le joug la rebelle Judée.
105 Il se souvient du jour illustre et douloureux
   Qui décida du sort d'un long siège douteux .
   Sur leur triple rempart les ennemis tranquilles
   Contemplaient sans péril nos assauts inutiles ;
   Le bélier impuissant les menaçait en vain.
110 Vous seul, seigneur, vous seul, une échelle à la main,
   Vous portâtes la mort jusque sur leurs murailles.
   Ce jour presque éclaira vos propres funérailles :
   Titus vous embrassa mourant entre mes bras,
   Et tout le camp vainqueur pleura votre trépas [1].
115 Voici le temps, seigneur, où vous devez attendre
   Le fruit de tant de sang qu'ils vous ont vu répandre.
   Si pressé du désir de revoir vos États
   Vous vous lassez de vivre où vous ne régnez pas,
   Faut-il que sans honneur l'Euphrate vous revoie ?
120 Attendez pour partir que César vous renvoie
   Triomphant et chargé des titres souverains
   Qu'ajoute encore aux rois l'amitié des Romains.

Rien ne peut-il, seigneur, changer votre entreprise?
Vous ne répondez point.

ANTIOCHUS

                    Que veux-tu que je dise?
125 J'attends de Bérénice un moment d'entretien.

ARSACE

Hé bien, seigneur?

ANTIOCHUS

          Son sort décidera du mien.

ARSACE

Comment?

ANTIOCHUS

          Sur son hymen j'attends qu'elle s'explique.
Si sa bouche s'accorde avec la voix publique,
S'il est vrai qu'on l'élève au trône des Césars,
130 Si Titus a parlé, s'il l'épouse, je pars.

ARSACE

Mais qui rend à vos yeux cet hymen si funeste?

ANTIOCHUS

Quand nous serons partis, je te dirai le reste.

ARSACE

Dans quel trouble, seigneur, jetez-vous mon esprit!

ANTIOCHUS

La reine vient. Adieu : fais tout ce que j'ai dit.

SCÈNE IV

BÉRÉNICE, ANTIOCHUS, PHÉNICE

BÉRÉNICE

135 Enfin je me dérobe à la joie importune
De tant d'amis nouveaux que me fait la fortune ;
Je fuis de leurs respects l'inutile longueur,
Pour chercher un ami qui me parle du cœur.
Il ne faut point mentir : ma juste impatience
140 Vous accusait déjà de quelque négligence.
Quoi ? cet Antiochus, disais-je, dont les soins
Ont eu tout l'Orient et Rome pour témoins ;
Lui que j'ai vu toujours constant dans mes traverses
Suivre d'un pas égal mes fortunes diverses ;
145 Aujourd'hui que le ciel semble me présager
Un honneur qu'avec vous je prétends partager [1],
Ce même Antiochus, se cachant à ma vue,
Me laisse à la merci d'une foule inconnue ?

ANTIOCHUS

Il est donc vrai, madame ? Et selon ce discours
150 L'hymen va succéder à vos longues amours ?

BÉRÉNICE

Seigneur, je vous veux bien confier mes alarmes.
Ces jours ont vu mes yeux baignés de quelques
                                             [larmes :
Ce long deuil que Titus imposait à sa cour
Avait même en secret suspendu son amour.
155 Il n'avait plus pour moi cette ardeur assidue

Lorsqu'il passait les jours attaché sur ma vue.
Muet, chargé de soins, et les larmes aux yeux,
Il ne me laissait plus que de tristes adieux.
Jugez de ma douleur, moi dont l'ardeur extrême,
160 Je vous l'ai dit cent fois, n'aime en lui que lui-même;
Moi qui, loin des grandeurs dont il est revêtu,
Aurais choisi son cœur, et cherché sa vertu.

ANTIOCHUS

Il a repris pour vous sa tendresse première?

BÉRÉNICE

Vous fûtes spectateur de cette nuit dernière,
165 Lorsque, pour seconder ses soins religieux,
Le sénat a placé son père entre les dieux.
De ce juste devoir sa piété contente
A fait place, seigneur, au soin de son amante;
Et même en ce moment, sans qu'il m'en ait parlé,
170 Il est dans le sénat, par son ordre assemblé.
Là, de la Palestine il étend la frontière;
Il y joint l'Arabie et la Syrie entière;
Et si de ses amis j'en dois croire la voix,
Si j'en crois ses serments redoublés mille fois,
175 Il va sur tant d'États couronner Bérénice,
Pour joindre à plus de noms le nom d'impératrice
Il m'en viendra lui-même assurer en ce lieu.

ANTIOCHUS

Et je viens donc vous dire un éternel adieu.

BÉRÉNICE

Que dites-vous? Ah ciel! quel adieu! quel langage!
180 Prince, vous vous troublez et changez de visage?

ANTIOCHUS

Madame, il faut partir.

BÉRÉNICE

                    Quoi ? ne puis-je savoir.

Quel sujet...

ANTIOCHUS

        Il fallait partir sans la revoir.

BÉRÉNICE

Que craignez-vous ? Parlez : c'est trop longtemps se
                                    [taire[1].
Seigneur, de ce départ quel est donc le mystère ?

ANTIOCHUS

185 Au moins souvenez-vous que je cède à vos lois,
    Et que vous m'écoutez pour la dernière fois.
        Si, dans ce haut degré de gloire et de puissance,
    Il vous souvient des lieux où vous prîtes naissance,
    Madame, il vous souvient que mon cœur en ces lieux
190 Reçut le premier trait qui partit de vos yeux.
    J'aimai ; j'obtins l'aveu d'Agrippa[2] votre frère.
    Il vous parla pour moi. Peut-être sans colère
    Alliez-vous de mon cœur recevoir le tribut :
    Titus, pour mon malheur vint, vous vit, et vous plut ;
195 Il parut devant vous dans tout l'éclat d'un homme
    Qui porte entre ses mains la vengeance de Rome.
    La Judée en pâlit. Le triste Antiochus
    Se compta le premier au nombre des vaincus[3].
    Bientôt de mon malheur interprète sévère,
200 Votre bouche à la mienne ordonna de se taire.
    Je disputai longtemps, je fis parler mes yeux ;

Mes pleurs et mes soupirs vous suivaient en tous lieux.
Enfin votre rigueur emporta la balance ;
Vous sûtes m'imposer l'exil, ou le silence :
205 Il fallut le promettre, et même le jurer.
Mais puisqu'en ce moment j'ose me déclarer [1],
Lorsque vous m'arrachiez cette injuste promesse,
Mon cœur faisait serment de vous aimer sans cesse.

BÉRÉNICE

Ah ! que me dites-vous ?

ANTIOCHUS

Je me suis tu cinq ans,
210 Madame, et vais encor me taire plus longtemps.
De mon heureux rival j'accompagnai les armes ;
J'espérai de verser mon sang après mes larmes,
Ou qu'au moins, jusqu'à vous porté par mille exploits,
Mon nom pourrait parler, au défaut de ma voix.
215 Le ciel sembla promettre une fin à ma peine :
Vous pleurâtes ma mort, hélas ! trop peu certaine.
Inutiles périls ! Quelle était mon erreur !
La valeur de Titus surpassait ma fureur.
Il faut qu'à sa vertu mon estime réponde :
220 Quoique attendu, madame, à l'empire du monde,
Chéri de l'univers, enfin aimé de vous,
Il semblait à lui seul appeler tous les coups,
Tandis que sans espoir, haï, lassé de vivre,
Son malheureux rival ne semblait que le suivre.
225 Je vois que votre cœur m'applaudit en secret ;
Je vois que l'on m'écoute avec moins de regret,
Et que trop attentive à ce récit funeste,
En faveur de Titus vous pardonnez le reste.
Enfin, après un siège aussi cruel que lent,

230 Il dompta les mutins, reste pâle et sanglant
    Des flammes, de la faim, des fureurs intestines,
    Et laissa leurs remparts cachés sous leurs ruines.
    Rome vous vit, madame, arriver avec lui.
    Dans l'Orient désert quel devint mon ennui !
235 Je demeurai longtemps errant dans Césarée[1],
    Lieux charmants où mon cœur vous avait adorée.
    Je vous redemandais à vos tristes États ;
    Je cherchais en pleurant les traces de vos pas.
    Mais enfin succombant à ma mélancolie,
240 Mon désespoir tourna mes pas vers l'Italie.
    Le sort m'y réservait le dernier de ses coups.
    Titus en m'embrassant m'amena devant vous.
    Un voile d'amitié vous trompa l'un et l'autre,
    Et mon amour devint le confident du vôtre.
245 Mais toujours quelque espoir flattait mes déplaisirs :
    Rome, Vespasien traversaient vos soupirs ;
    Après tant de combats Titus cédait peut-être.
    Vespasien est mort, et Titus est le maître.
    Que ne fuyais-je alors ! J'ai voulu quelques jours
250 De son nouvel empire examiner le cours.
    Mon sort est accompli. Votre gloire s'apprête.
    Assez d'autres sans moi, témoins de cette fête,
    À vos heureux transports viendront joindre les leurs ;
    Pour moi, qui ne pourrais y mêler que des pleurs,
255 D'un inutile amour trop constante victime,
    Heureux dans mes malheurs d'en avoir pu sans crime
    Conter toute l'histoire aux yeux qui les ont faits,
    Je pars plus amoureux que je ne fus jamais.

                        BÉRÉNICE

    Seigneur, je n'ai pas cru que dans une journée
260 Qui doit avec César unir ma destinée,

Il fût quelque mortel qui pût impunément
Se venir à mes yeux déclarer mon amant,
Mais de mon amitié mon silence est un gage :
J'oublie en sa faveur un discours qui m'outrage
265 Je n'en ai point troublé le cours injurieux ;
Je fais plus : à regret je reçois vos adieux.
Le ciel sait qu'au milieu des honneurs qu'il m'envoie,
Je n'attendais que vous pour témoin de ma joie.
Avec tout l'univers j'honorais vos vertus ;
270 Titus vous chérissait, vous admiriez Titus.
Cent fois je me suis fait une douceur extrême
D'entretenir Titus dans un autre lui-même.

ANTIOCHUS

Et c'est ce que je fuis. J'évite, mais trop tard,
Ces cruels entretiens, où je n'ai point de part.
275 Je fuis Titus. Je fuis ce nom qui m'inquiète,
Ce nom qu'à tous moments votre bouche répète.
Que vous dirai-je enfin ? Je fuis des yeux distraits,
Qui me voyant toujours, ne me voyaient jamais.
Adieu : je vais, le cœur trop plein de votre image,
280 Attendre, en vous aimant, la mort pour mon partage.
Surtout ne craignez point qu'une aveugle douleur
Remplisse l'univers du bruit de mon malheur,
Madame ; le seul bruit d'une mort que j'implore
Vous fera souvenir que je vivais encore.
285 Adieu.

SCÈNE V

BÉRÉNICE, PHÉNICE

PHÉNICE

Que je le plains! Tant de fidélité,
Madame, méritait plus de prospérité.
Ne le plaignez-vous pas?

BÉRÉNICE

　　　　　　　Cette prompte retraite
Me laisse, je l'avoue, une douleur secrète.

PHÉNICE

Je l'aurais retenu.

BÉRÉNICE

　　　　　　Qui? moi? le retenir?
290 J'en dois perdre plutôt jusques au souvenir.
Tu veux donc que je flatte une ardeur insensée?

PHÉNICE

Titus n'a point encore expliqué sa pensée.
Rome vous voit, madame, avec des yeux jaloux;
La rigueur de ses lois m'épouvante pour vous.
295 L'hymen chez les Romains n'admet qu'une Romaine;
Rome hait tous les rois, et Bérénice est reine.

BÉRÉNICE

Le temps n'est plus, Phénice, où je pouvais trembler.
Titus m'aime, il peut tout, il n'a plus qu'à parler.

Il verra le sénat m'apporter ses hommages,
300 Et le peuple, de fleurs couronner ses images[1].
  De cette nuit, Phénice, as-tu vu la splendeur?
Tes yeux ne sont-ils pas tout pleins de sa grandeur?
Ces flambeaux, ce bûcher, cette nuit enflammée,
Ces aigles, ces faisceaux, ce peuple, cette armée,
305 Cette foule de rois, ces consuls, ce sénat,
Qui tous, de mon amant empruntaient leur éclat;
Cette pourpre, cet or, que rehaussait sa gloire,
Et ces lauriers encor témoins de sa victoire;
Tous ces yeux qu'on voyait venir de toutes parts
310 Confondre sur lui seul leurs avides regards;
Ce port majestueux, cette douce présence.
Ciel! avec quel respect et quelle complaisance[1]
Tous les cœurs en secret l'assuraient de leur foi!
Parle : peut-on le voir sans penser comme moi
315 Qu'en quelque obscurité que le sort l'eût fait naître,
Le monde, en le voyant, eût reconnu son maître?
Mais, Phénice, où m'emporte un souvenir charmant?
  Cependant Rome entière, en ce même moment,
Fait des vœux pour Titus, et par des sacrifices
320 De son règne naissant célèbre les prémices.
Que tardons-nous? Allons, pour son empire heureux,
Au ciel, qui le protège, offrir aussi nos vœux[2].
Aussitôt, sans l'attendre, et sans être attendue,
Je reviens le chercher, et dans cette entrevue
325 Dire tout ce qu'aux cœurs l'un de l'autre contents
Inspirent des transports retenus si longtemps.

ACTE II

SCÈNE PREMIÈRE

TITUS, PAULIN, SUITE

TITUS

A-t-on vu de ma part le roi de Comagène?
Sait-il que je l'attends?

PAULIN

        J'ai couru chez la reine.
Dans son appartement ce prince avait paru;
330 Il en était sorti lorsque j'y suis couru.
De vos ordres, seigneur, j'ai dit qu'on l'avertisse.

TITUS

Il suffit. Et que fait la reine Bérénice?

PAULIN

La reine, en ce moment, sensible à vos bontés,
Charge le ciel de vœux pour vos prospérités.
335 Elle sortait, seigneur.

TITUS

Trop aimable princesse !

Hélas !

PAULIN

En sa faveur d'où naît cette tristesse ?
L'Orient presque entier va fléchir sous sa loi :
Vous la plaignez ?

TITUS

Paulin, qu'on vous laisse avec moi.

SCÈNE II

TITUS, PAULIN

TITUS

Hé bien ! de mes desseins Rome encore incertaine
340 Attend que deviendra le destin de la reine,
Paulin ; et les secrets de son cœur et du mien
Sont de tout l'univers devenus l'entretien.
Voici le temps enfin qu'il faut que je m'explique.
De la reine et de moi que dit la voix publique ?
345 Parlez : qu'entendez-vous ?

PAULIN

J'entends de tous côtés
Publier vos vertus, seigneur et ses beautés.

TITUS

Que dit-on des soupirs que je pousse pour elle ?
Quel succès attend-on d'un amour si fidèle ?

PAULIN

Vous pouvez tout : aimez, cessez d'être amoureux,
350 La cour sera toujours du parti de vos vœux.

TITUS

Et je l'ai vue aussi cette cour peu sincère,
À ses maîtres toujours trop soigneuse de plaire,
Des crimes de Néron approuver les horreurs ;
Je l'ai vue à genoux consacrer ses fureurs.
355 Je ne prends point pour juge une cour idolâtre,
Paulin : je me propose un plus noble théâtre ;
Et sans prêter l'oreille à la voix des flatteurs,
Je veux par votre bouche entendre tous les cœurs.
Vous me l'avez promis. Le respect et la crainte
360 Ferment autour de moi le passage à la plainte ;
Pour mieux voir, cher Paulin, et pour entendre mieux,
Je vous ai demandé des oreilles, des yeux.
J'ai mis même à ce prix mon amitié secrète :
J'ai voulu que des cœurs vous fussiez l'interprète,
365 Qu'au travers des flatteurs votre sincérité
Fît toujours jusqu'à moi passer la vérité.
Parlez donc. Que faut-il que Bérénice espère ?
Rome lui sera-t-elle indulgente ou sévère ?
Dois-je croire qu'assise au trône des Césars,
370 Une si belle reine offensât ses regards ?

PAULIN

N'en doutez point, seigneur. Soit raison, soit caprice,
Rome ne l'attend point pour son impératrice.
On sait qu'elle est charmante ; et de si belles mains
Semblent vous demander l'empire des humains.
375 Elle a même, dit-on, le cœur d'une Romaine ;

Elle a mille vertus. Mais, seigneur, elle est reine.
Rome, par une loi qui ne se peut changer,
N'admet avec son sang aucun sang étranger,
Et ne reconnaît point les fruits illégitimes
380 Qui naissent d'un hymen contraire à ses maximes.
D'ailleurs, vous le savez, en bannissant ses rois,
Rome à ce nom si noble et si saint autrefois,
Attacha pour jamais une haine puissante;
Et quoiqu'à ses Césars fidèle, obéissante,
385 Cette haine, seigneur, reste de sa fierté,
Survit dans tous les cœurs après la liberté.
Jules, qui le premier la soumit à ses armes,
Qui fit taire les lois dans le bruit des alarmes,
Brûla pour Cléopâtre, et, sans se déclarer,
390 Seule dans l'Orient la laissa soupirer.
Antoine, qui l'aima jusqu'à l'idolâtrie,
Oublia dans son sein sa gloire et sa patrie,
Sans oser toutefois se nommer son époux.
Rome l'alla chercher jusques à ses genoux,
395 Et ne désarma point sa fureur vengeresse,
Qu'elle n'eût accablé l'amant et la maîtresse.
Depuis ce temps, seigneur, Caligula, Néron,
Monstres dont à regret je cite ici le nom,
Et qui ne conservant que la figure d'homme,
400 Foulèrent à leurs pieds toutes les lois de Rome,
Ont craint cette loi seule, et n'ont point à nos yeux
Allumé le flambeau d'un hymen odieux.
Vous m'avez commandé sur tout d'être sincère.
De l'affranchi Pallas nous avons vu le frère,
405 Des fers de Claudius Félix[1] encor flétri,
De deux reines, seigneur, devenir le mari;
Et s'il faut jusqu'au bout que je vous obéisse,
Ces deux reines étaient du sang de Bérénice.

Et vous croiriez pouvoir, sans blesser nos regards,
410 Faire entrer une reine au lit de nos Césars,
Tandis que l'Orient dans le lit de ses reines
Voit passer un esclave au sortir de nos chaînes ?
C'est ce que les Romains pensent de votre amour ;
Et je ne réponds pas, avant la fin du jour,
415 Que le sénat, chargé des vœux de tout l'empire,
Ne vous redise ici ce que je viens de dire ;
Et que Rome avec lui tombant à vos genoux,
Ne vous demande un choix digne d'elle et de vous.
Vous pouvez préparer, Seigneur, votre réponse.

TITUS

420 Hélas ! à quel amour on veut que je renonce !

PAULIN

Cet amour est ardent, il le faut confesser.

TITUS

Plus ardent mille fois que tu ne peux penser,
Paulin. Je me suis fait un plaisir nécessaire
De la voir chaque jour, de l'aimer, de lui plaire.
425 J'ai fait plus. Je n'ai rien de secret à tes yeux :
J'ai pour elle cent fois rendu grâces aux dieux
D'avoir choisi mon père au fond de l'Idumée[1],
D'avoir rangé sous lui l'Orient et l'armée,
Et soulevant encor le reste des humains,
430 Remis Rome sanglante en ses paisibles mains.
J'ai même souhaité la place de mon père,
Moi, Paulin, qui cent fois, si le sort moins sévère
Eût voulu de sa vie étendre les liens,
Aurais donné mes jours pour prolonger les siens :
435 Tout cela (qu'un amant sait mal ce qu'il désire !)

Dans l'espoir d'élever Bérénice à l'Empire,
De reconnaître un jour son amour et sa foi,
Et de voir à ses pieds tout le monde avec moi.
Malgré tout mon amour, Paulin, et tous ses charmes [1],
440 Après mille serments appuyés de mes larmes,
Maintenant que je puis couronner tant d'attraits,
Maintenant que je l'aime encor plus que jamais,
Lorsqu'un heureux hymen, joignant nos destinées,
Peut payer en un jour les vœux de cinq années,
445 Je vais, Paulin... Ô ciel! puis-je le déclarer?

PAULIN

Quoi? seigneur.

TITUS

        Pour jamais je vais m'en séparer [2].
Mon cœur en ce moment ne vient pas de se rendre.
Si je t'ai fait parler, si j'ai voulu t'entendre,
Je voulais que ton zèle achevât en secret
450 De confondre un amour qui se tait à regret.
Bérénice a longtemps balancé la victoire;
Et si je penche enfin du côté de ma gloire,
Crois qu'il m'en a coûté, pour vaincre tant d'amour,
Des combats dont mon cœur saignera plus d'un jour.
455 J'aimais, je soupirais dans une paix profonde:
Un autre était chargé de l'empire du monde;
Maître de mon destin, libre dans mes soupirs,
Je ne rendais qu'à moi compte de mes désirs.
Mais à peine le ciel eut rappelé mon père,
460 Dès que ma triste main eut fermé sa paupière,
De mon aimable erreur je fus désabusé:
Je sentis le fardeau qui m'était imposé;
Je connus que bientôt, loin d'être à ce que j'aime,

Il fallait, cher Paulin, renoncer à moi-même ;
465 Et que le choix des dieux, contraire à mes amours,
Livrait à l'univers le reste de mes jours.
Rome observe aujourd'hui ma conduite nouvelle.
Quelle honte pour moi, quel présage pour elle,
Si dès le premier pas, renversant tous ses droits,
470 Je fondais mon bonheur sur le débris des lois !
Résolu d'accomplir ce cruel sacrifice,
J'y voulus préparer la triste Bérénice.
Mais par où commencer ? Vingt fois depuis huit jours,
J'ai voulu devant elle en ouvrir le discours ;
475 Et dès le premier mot ma langue embarrassée
Dans ma bouche vingt fois a demeuré glacée.
J'espérais que du moins mon trouble et ma douleur
Lui ferait pressentir notre commun malheur ;
Mais sans me soupçonner, sensible à mes alarmes,
480 Elle m'offre sa main pour essuyer mes larmes,
Et ne prévoit rien moins dans cette obscurité
Que la fin d'un amour qu'elle a trop mérité [1].
Enfin j'ai ce matin rappelé ma constance :
Il faut la voir, Paulin, et rompre le silence.
485 J'attends Antiochus pour lui recommander
Ce dépôt précieux que je ne puis garder.
Jusque dans l'Orient je veux qu'il la remeine.
Demain Rome avec lui verra partir la reine.
Elle en sera bientôt instruite par ma voix,
490 Et je vais lui parler pour la dernière fois.

PAULIN

Je n'attendais pas moins de cet amour de gloire
Qui partout après vous attacha la victoire.
La Judée asservie et ses remparts fumants,
De cette noble ardeur éternels monuments,

495 Me répondaient assez que votre grand courage
Ne voudrait pas, seigneur, détruire son ouvrage;
Et qu'un héros vainqueur de tant de nations
Saurait bien, tôt ou tard, vaincre ses passions.

TITUS

Ah! que sous de beaux noms cette gloire est cruelle!
500 Combien mes tristes yeux la trouveraient plus belle,
S'il ne fallait encor qu'affronter le trépas!
Que dis-je? Cette ardeur que j'ai pour ses appas,
Bérénice en mon sein l'a jadis allumée.
Tu ne l'ignores pas : toujours la Renommée
505 Avec le même éclat n'a pas semé mon nom.
Ma jeunesse, nourrie à la cour de Néron,
S'égarait, cher Paulin, par l'exemple abusée,
Et suivait du plaisir la pente trop aisée.
Bérénice me plut. Que ne fait point un cœur
510 Pour plaire à ce qu'il aime, et gagner son vainqueur?
Je prodiguai mon sang; tout fit place à mes armes.
Je revins triomphant. Mais le sang et les larmes
Ne me suffisaient pas pour mériter ses vœux :
J'entrepris le bonheur de mille malheureux.
515 On vit de toutes parts mes bontés se répandre[1] :
Heureux! et plus heureux que tu ne peux comprendre,
Quand je pouvais paraître à ses yeux satisfaits
Chargé de mille cœurs conquis par mes bienfaits!
Je lui dois tout, Paulin. Récompense cruelle!
520 Tout ce que je lui dois va retomber sur elle.
Pour prix de tant de gloire et de tant de vertus,
Je lui dirai : « Partez, et ne me voyez plus. »

PAULIN

Hé quoi! seigneur, hé quoi! cette magnificence
Qui va jusqu'à l'Euphrate étendre sa puissance,

525 Tant d'honneurs, dont l'excès a surpris le sénat,
Vous laissent-ils encor craindre le nom d'ingrat?
Sur cent peuples nouveaux Bérénice commande.

TITUS

Faibles amusements d'une douleur si grande!
Je connais Bérénice, et ne sais que trop bien
530 Que son cœur n'a jamais demandé que le mien.
Je l'aimai, je lui plus. Depuis cette journée
(Dois-je dire funeste, hélas! ou fortunée?),
Sans avoir en aimant d'objet que son amour,
Étrangère dans Rome, inconnue à la cour,
535 Elle passe ses jours, Paulin, sans rien prétendre
Que quelque heure à me voir, et le reste à m'attendre
Encor si quelquefois un peu moins assidu
Je passe le moment où je suis attendu,
Je la revois bientôt de pleurs toute trempée.
540 Ma main à les sécher est longtemps occupée.
Enfin tout ce qu'Amour a de nœuds plus puissants,
Doux reproches, transports sans cesse renaissants,
Soin de plaire sans art, crainte toujours nouvelle,
Beauté, gloire, vertu, je trouve tout en elle.
545 Depuis cinq ans entiers chaque jour je la vois,
Et crois toujours la voir pour la première fois.
N'y songeons plus. Allons, cher Paulin: plus j'y pense,
Plus je sens chanceler ma cruelle constance.
Quelle nouvelle, ô ciel! je lui vais annoncer!
550 Encore un coup, allons, il n'y faut plus penser.
Je connais mon devoir, c'est à moi de le suivre:
Je n'examine point si j'y pourrai survivre.

SCÈNE III

TITUS, PAULIN, RUTILE

RUTILE

Bérénice, seigneur, demande à vous parler.

TITUS

Ah! Paulin.

PAULIN

       Quoi? déjà vous semblez reculer!
555 De vos nobles projets, seigneur, qu'il vous souvienne[1] :
Voici le temps.

TITUS

Hé bien, voyons-la. Qu'elle vienne.

SCÈNE IV

BÉRÉNICE, TITUS, PAULIN, PHÉNICE

BÉRÉNICE

Ne vous offensez pas, si mon zèle indiscret
De votre solitude interrompt le secret.
Tandis qu'autour de moi votre cour assemblée
560 Retentit des bienfaits dont vous m'avez comblée,
Est-il juste, seigneur, que seule en ce moment
Je demeure sans voix et sans ressentiment?

Mais, seigneur (car je sais que cet ami sincère
Du secret de nos cœurs connaît tout le mystère),
565 Votre deuil est fini, rien n'arrête vos pas,
Vous êtes seul enfin, et ne me cherchez pas.
J'entends que vous m'offrez un nouveau diadème,
Et ne puis cependant vous entendre vous-même.
Hélas ! plus de repos, seigneur, et moins d'éclat.
570 Votre amour ne peut-il paraître qu'au sénat ?
Ah ! Titus ! car enfin l'amour fuit la contrainte
De tous ces noms que suit le respect et la crainte.
De quel soin votre amour va-t-il s'importuner ?
N'a-t-il que des États qu'il me puisse donner ?
575 Depuis quand croyez-vous que ma grandeur me
                                        [touche ?
Un soupir, un regard, un mot de votre bouche,
Voilà l'ambition d'un cœur comme le mien.
Voyez-moi plus souvent, et ne me donnez rien.
Tous vos moments sont-ils dévoués à l'Empire ?
580 Ce cœur, après huit jours, n'a-t-il rien à me dire ?
Qu'un mot va rassurer mes timides esprits !
Mais parliez-vous de moi quand je vous ai surpris ?
Dans vos secrets discours étais-je intéressée,
Seigneur ? Étais-je au moins présente à la pensée ?

TITUS

585 N'en doutez point, madame ; et j'atteste les dieux
Que toujours Bérénice est présente à mes yeux.
L'absence ni le temps, je vous le jure encore,
Ne vous peuvent ravir ce cœur qui vous adore.

BÉRÉNICE

Hé quoi ? vous me jurez une éternelle ardeur,
590 Et vous me la jurez avec cette froideur ?

Pourquoi même du ciel attester la puissance[1]?
Faut-il par des serments vaincre ma défiance?
Mon cœur ne prétend point, seigneur, vous démentir,
Et je vous en croirai sur un simple soupir.

TITUS

595 Madame...

BÉRÉNICE

Hé bien? seigneur. Mais quoi, sans me répondre,
Vous détournez les yeux et semblez vous confondre!
Ne m'offrirez-vous plus qu'un visage interdit?
Toujours la mort d'un père occupe votre esprit?
Rien ne peut-il charmer l'ennui qui vous dévore?

TITUS

600 Plût au ciel que mon père, hélas! vécût encore[2]!
Que je vivais heureux!

BÉRÉNICE

         Seigneur, tous ces regrets
De votre piété sont de justes effets;
Mais vos pleurs ont assez honoré sa mémoire:
Vous devez d'autres soins à Rome, à votre gloire.
605 De mon propre intérêt je n'ose vous parler.
Bérénice autrefois pouvait vous consoler;
Avec plus de plaisir vous m'avez écoutée.
De combien de malheurs pour vous persécutée,
Vous ai-je pour un mot sacrifié mes pleurs!
610 Vous regrettez un père. Hélas, faibles douleurs!
Et moi (ce souvenir me fait frémir encore),
On voulait m'arracher de tout ce que j'adore;
Moi, dont vous connaissez le trouble et le tourment

Quand vous ne me quittez que pour quelque moment ;
615 Moi, qui mourrais le jour qu'on voudrait m'interdire
De vous...

TITUS

Madame, hélas ! que me venez-vous dire ?
Quel temps choisissez-vous ? Ah ! de grâce, arrêtez.
C'est trop pour un ingrat prodiguer vos bontés.

BÉRÉNICE

Pour un ingrat, seigneur ! Et le pouvez-vous être ?
620 Ainsi donc mes bontés vous fatiguent peut-être ?

TITUS

Non, madame. Jamais, puisqu'il faut vous parler,
Mon cœur de plus de feux ne se sentit brûler.
Mais...

BÉRÉNICE

Achevez.

TITUS

Hélas !

BÉRÉNICE

Parlez.

TITUS

Rome... L'Empire...

BÉRÉNICE

Hé bien ?

TITUS

Sortons, Paulin : je ne lui puis rien dire.

SCÈNE V

BÉRÉNICE, PHÉNICE

BÉRÉNICE

625 Quoi! me quitter sitôt, et ne me dire rien?
Chère Phénice, hélas! quel funeste entretien!
Qu'ai-je fait? Que veut-il? Et que dit ce silence?

PHÉNICE

Comme vous je me perds d'autant plus que j'y pense[1].
Mais ne s'offre-t-il rien à votre souvenir
630 Qui contre vous, madame, ait pu le prévenir?
Voyez, examinez.

BÉRÉNICE

                    Hélas! tu peux m'en croire,
Plus je veux du passé rappeler la mémoire,
Du jour que je le vis jusqu'à ce triste jour,
Plus je vois qu'on me peut reprocher trop d'amour.
635 Mais tu nous entendais. Il ne faut rien me taire.
Parle. N'ai-je rien dit qui lui puisse déplaire?
Que sais-je? J'ai peut-être avec trop de chaleur
Rabaissé ses présents ou blâmé sa douleur.
N'est-ce point que de Rome il redoute la haine?
640 Il craint peut-être, il craint d'épouser une reine.
Hélas! s'il était vrai... Mais non, il a cent fois
Rassuré mon amour contre leurs dures lois;

Cent fois... Ah! qu'il m'explique un silence si rude :
Je ne respire pas dans cette incertitude.
645 Moi, je vivrais, Phénice, et je pourrais penser
Qu'il me néglige, ou bien que j'ai pu l'offenser ?
Retournons sur ses pas. Mais quand je m'examine,
Je crois de ce désordre entrevoir l'origine,
Phénice : il aura su tout ce qui s'est passé ;
650 L'amour d'Antiochus l'a peut-être offensé.
Il attend, m'a-t-on dit, le roi de Comagène.
Ne cherchons point ailleurs le sujet de ma peine.
Sans doute ce chagrin qui vient de m'alarmer
N'est qu'un léger soupçon facile à désarmer.
655 Je ne te vante point cette faible victoire,
Titus. Ah! plût au ciel que sans blesser ta gloire
Un rival plus puissant voulût tenter ma foi,
Et pût mettre à mes pieds plus d'empires que toi ;
Que de sceptres sans nombre il pût payer ma flamme,
660 Que ton amour n'eût rien à donner que ton âme :
C'est alors, cher Titus, qu'aimé, victorieux,
Tu verrais de quel prix ton cœur est à mes yeux.
Allons, Phénice, un mot pourra le satisfaire.
Rassurons-nous, mon cœur, je puis encor lui plaire :
665 Je me comptais trop tôt au rang des malheureux.
Si Titus est jaloux, Titus est amoureux.

ACTE III

SCÈNE PREMIÈRE

TITUS, ANTIOCHUS, ARSACE

TITUS

Quoi ! prince, vous partiez ? Quelle raison subite
Presse votre départ, ou plutôt votre fuite ?
Vouliez-vous me cacher jusques à vos adieux ?
670 Est-ce comme ennemi que vous quittez ces lieux ?
Que diront avec moi la cour, Rome, l'Empire ?
Mais, comme votre ami, que ne puis-je point dire ?
De quoi m'accusez-vous ? Vous avais-je sans choix
Confondu jusqu'ici dans la foule des rois ?
675 Mon cœur vous fut ouvert tant qu'a vécu mon père :
C'était le seul présent que je pouvais vous faire.
Et lorsque avec mon cœur ma main peut s'épancher,
Vous fuyez mes bienfaits tout prêts à vous chercher ?
Pensez-vous qu'oubliant ma fortune passée,
680 Sur ma seule grandeur j'arrête ma pensée ?
Et que tous mes amis s'y présentent de loin
Comme autant d'inconnus dont je n'ai plus besoin ?

Vous-même, à mes regards qui vouliez vous soustraire,
Prince, plus que jamais vous m'êtes nécessaire.

ANTIOCHUS

685 Moi, seigneur?

TITUS

Vous.

ANTIOCHUS

Hélas! d'un prince malheureux
Que pouvez-vous, seigneur, attendre que des vœux?

TITUS

Je n'ai pas oublié, prince, que ma victoire
Devait à vos exploits la moitié de sa gloire,
Que Rome vit passer au nombre des vaincus
690 Plus d'un captif chargé des fers d'Antiochus,
Que dans le Capitole elle voit attachées
Les dépouilles des Juifs par vos mains arrachées.
Je n'attends pas de vous de ces sanglants exploits,
Et je veux seulement emprunter votre voix.
695 Je sais que Bérénice, à vos soins redevable,
Croit posséder en vous un ami véritable.
Elle ne voit dans Rome et n'écoute que vous;
Vous ne faites qu'un cœur et qu'une âme avec nous.
Au nom d'une amitié si constante et si belle,
700 Employez le pouvoir que vous avez sur elle.
Voyez-la de ma part.

ANTIOCHUS

Moi, paraître à ses yeux?
La reine pour jamais a reçu mes adieux.

TITUS

Prince, il faut que pour moi vous lui parliez encore.

ANTIOCHUS

Ah! parlez-lui, seigneur : la reine vous adore.
705 Pourquoi vous dérober vous-même en ce moment
Le plaisir de lui faire un aveu si charmant?
Elle l'attend, seigneur, avec impatience.
Je réponds, en partant, de son obéissance;
Et même elle m'a dit que prêt à l'épouser,
710 Vous ne la verrez plus que pour l'y disposer.

TITUS

Ah! qu'un aveu si doux aurait lieu de me plaire!
Que je serais heureux, si j'avais à le faire!
Mes transports aujourd'hui s'attendaient d'éclater;
Cependant aujourd'hui, prince, il faut la quitter.

ANTIOCHUS

715 La quitter! Vous, Seigneur?

TITUS

                                    Telle est ma destinée.
Pour elle et pour Titus il n'est plus d'hyménée.
D'un espoir si charmant je me flattais en vain :
Prince, il faut avec vous qu'elle parte demain.

ANTIOCHUS

Qu'entends-je? Ô ciel!

TITUS

                                    Plaignez ma grandeur impor-
                                                        [tune.

720 Maître de l'univers, je règle sa fortune ;
Je puis faire les rois, je puis les déposer :
Cependant de mon cœur je ne puis disposer.
Rome, contre les rois de tout temps soulevée,
Dédaigne une beauté dans la pourpre élevée.
725 L'éclat du diadème et cent rois pour aïeux
Déshonorent ma flamme et blessent tous les yeux.
Mon cœur, libre d'ailleurs, sans craindre les mur-
                                            [mures,
Peut brûler à son choix dans des flammes obscures ;
Et Rome avec plaisir recevrait de ma main
730 La moins digne beauté qu'elle cache en son sein.
Jules céda lui-même au torrent qui m'entraîne.
Si le peuple demain ne voit partir la reine,
Demain elle entendra ce peuple furieux
Me venir demander son départ à ses yeux.
735 Sauvons de cet affront mon nom et sa mémoire ;
Et puisqu'il faut céder, cédons à notre gloire.
Ma bouche et mes regards, muets depuis huit jours,
L'auront pu préparer à ce triste discours.
Et même en ce moment, inquiète, empressée,
740 Elle veut qu'à ses yeux j'explique ma pensée.
D'un amant interdit soulagez le tourment :
Épargnez à mon cœur cet éclaircissement.
Allez, expliquez-lui mon trouble et mon silence.
Surtout qu'elle me laisse éviter sa présence.
745 Soyez le seul témoin de ses pleurs et des miens ;
Portez-lui mes adieux, et recevez les siens.
Fuyons tous deux, fuyons un spectacle funeste,
Qui de notre constance accablerait le reste.
Si l'espoir de régner et de vivre en mon cœur
750 Peut de son infortune adoucir la rigueur,
Ah ! prince, jurez-lui que toujours trop fidèle,

Gémissant dans ma cour, et plus exilé qu'elle,
Portant jusqu'au tombeau le nom de son amant,
Mon règne ne sera qu'un long bannissement,
755 Si le ciel, non content de me l'avoir ravie,
Veut encor m'affliger par une longue vie.
Vous que l'amitié seule attache sur ses pas,
Prince, dans son malheur ne l'abandonnez pas.
Que l'Orient vous voie arriver à sa suite ;
760 Que ce soit un triomphe, et non pas une fuite ;
Qu'une amitié si belle ait d'éternels liens ;
Que mon nom soit toujours dans tous vos entretiens.
Pour rendre vos États plus voisins l'un de l'autre,
L'Euphrate bornera son empire et le vôtre.
765 Je sais que le sénat, tout plein de votre nom,
D'une commune voix confirmera ce don.
Je joins la Cilicie[1] à votre Comagène.
Adieu : ne quittez point ma princesse, ma reine,
Tout ce qui de mon cœur fut l'unique désir,
770 Tout ce que j'aimerai jusqu'au dernier soupir.

SCÈNE II

ANTIOCHUS, ARSACE

ARSACE

Ainsi le ciel s'apprête à vous rendre justice.
Vous partirez, seigneur, mais avec Bérénice.
Loin de vous la ravir, on va vous la livrer.

ANTIOCHUS

Arsace, laisse-moi le temps de respirer.
775 Ce changement est grand, ma surprise est extrême.

Titus entre mes mains remet tout ce qu'il aime !
Dois-je croire, grands dieux ! ce que je viens d'ouïr ?
Et quand je le croirais, dois-je m'en réjouir ?

ARSACE

Mais moi-même, seigneur, que faut-il que je croie ?
780 Quel obstacle nouveau s'oppose à votre joie ?
Me trompiez-vous tantôt au sortir de ces lieux,
Lorsque encor tout ému de vos derniers adieux,
Tremblant d'avoir osé s'expliquer devant elle,
Votre cœur me contait son audace nouvelle ?
785 Vous fuyiez un hymen qui vous faisait trembler.
Cet hymen est rompu : quel soin peut vous troubler ?
Suivez les doux transports où l'amour vous invite.

ANTIOCHUS

Arsace, je me vois chargé de sa conduite ;
Je jouirai longtemps de ses chers entretiens,
790 Ses yeux même pourront s'accoutumer aux miens ;
Et peut-être son cœur fera la différence
Des froideurs de Titus à ma persévérance.
Titus m'accable ici du poids de sa grandeur :
Tout disparaît dans Rome auprès de sa splendeur ;
795 Mais quoique l'Orient soit plein de sa mémoire,
Bérénice y verra des traces de ma gloire.

ARSACE

N'en doutez point, seigneur, tout succède à vos vœux.

ANTIOCHUS

Ah ! que nous nous plaisons à nous tromper tous deux !

ARSACE

Et pourquoi nous tromper?

ANTIOCHUS

                    Quoi! je lui pourrais
                              [plaire?
800 Bérénice à mes vœux ne serait plus contraire?
Bérénice d'un mot flatterait mes douleurs?
Penses-tu seulement que parmi ses malheurs,
Quand l'univers entier négligerait ses larmes,
L'ingrate me permît de lui donner des larmes,
805 Ou qu'elle s'abaissât jusques à recevoir
Des soins qu'à mon amour elle croirait devoir?

ARSACE

Et qui peut mieux que vous consoler sa disgrâce?
Sa fortune, seigneur, va prendre une autre face.
Titus la quitte.

ANTIOCHUS

                    Hélas! de ce grand changement
810 Il ne me reviendra que le nouveau tourment
D'apprendre par ses pleurs à quel point elle l'aime.
Je la verrai gémir; je la plaindrai moi-même.
Pour fruit de tant d'amour, j'aurai le triste emploi
De recueillir des pleurs qui ne sont pas pour moi.

ARSACE

815 Quoi! ne vous plairez-vous qu'à vous gêner sans
                                        [cesse?
Jamais dans un grand cœur vit-on plus de faiblesse?
Ouvrez les yeux, seigneur, et songeons entre nous
Par combien de raisons Bérénice est à vous.

Puisque aujourd'hui Titus ne prétend plus lui plaire,
820 Songez que votre hymen lui devient nécessaire.

ANTIOCHUS

Nécessaire !

ARSACE

      À ses pleurs accordez quelques jours ;
De ses premiers sanglots laissez passer le cours :
Tout parlera pour vous, le dépit, la vengeance,
L'absence de Titus, le temps, votre présence,
825 Trois sceptres que son bras ne peut seul soutenir,
Vos deux États voisins, qui cherchent à s'unir.
L'intérêt, la raison, l'amitié, tout vous lie.

ANTIOCHUS

Oui, je respire, Arsace, et tu me rends la vie :
J'accepte avec plaisir un présage si doux.
830 Que tardons-nous ? Faisons ce qu'on attend de nous.
Entrons chez Bérénice ; et puisqu'on nous l'ordonne,
Allons lui déclarer que Titus l'abandonne.
Mais plutôt demeurons. Que faisais-je ? Est-ce à moi,
Arsace, à me charger de ce cruel emploi ?
835 Soit vertu, soit amour, mon cœur s'en effarouche.
L'aimable Bérénice entendrait de ma bouche
Qu'on l'abandonne ! Ah reine ! Et qui l'aurait pensé,
Que ce mot dût jamais vous être prononcé ?

ARSACE

La haine sur Titus tombera toute entière :
840 Seigneur, si vous parlez, ce n'est qu'à sa prière.

ANTIOCHUS

Non, ne la voyons point. Respectons sa douleur :
Assez d'autres viendront lui conter son malheur.
Et ne la crois-tu pas assez infortunée
D'apprendre à quel mépris Titus l'a condamnée,
845 Sans lui donner encor le déplaisir fatal
D'apprendre ce mépris par son propre rival ?
Encore un coup, fuyons ; et par cette nouvelle
N'allons point nous charger d'une haine immortelle.

ARSACE

Ah ! la voici, seigneur : prenez votre parti.

ANTIOCHUS

850 Ô ciel !

SCÈNE III

BÉRÉNICE, ANTIOCHUS, ARSACE, PHÉNICE

BÉRÉNICE

Hé quoi, seigneur, vous n'êtes point parti ?

ANTIOCHUS

Madame, je vois bien que vous êtes déçue,
Et que c'était César que cherchait votre vue.
Mais n'accusez que lui, si malgré mes adieux
De ma présence encor j'importune vos yeux.
855 Peut-être en ce moment je serais dans Ostie,
S'il ne m'eût de sa cour défendu la sortie.

BÉRÉNICE

Il vous cherche vous seul. Il nous évite tous.

ANTIOCHUS

Il ne m'a retenu que pour parler de vous.

BÉRÉNICE

De moi, prince!

ANTIOCHUS

Oui, madame.

BÉRÉNICE

Et qu'a-t-il pu vous
[dire?

ANTIOCHUS

860 Mille autres mieux que moi pourront vous en instruire.

BÉRÉNICE

Quoi, seigneur...

ANTIOCHUS

Suspendez votre ressentiment.
D'autres, loin de se taire en ce même moment,
Triompheraient peut-être, et pleins de confiance
Céderaient avec joie à votre impatience.
865 Mais moi, toujours tremblant, moi, vous le savez bien,
À qui votre repos est plus cher que le mien,
Pour ne le point troubler, j'aime mieux vous déplaire,
Et crains votre douleur plus que votre colère.
Avant la fin du jour vous me justifîrez.
870 Adieu, madame.

BÉRÉNICE

Ô ciel ! quel discours ! Demeurez.
Prince, c'est trop cacher mon trouble à votre vue.
Vous voyez devant vous une reine éperdue,
Qui, la mort dans le sein, vous demande deux mots.
Vous craignez, dites-vous, de troubler mon repos ;
875 Et vos refus cruels, loin d'épargner ma peine,
Excitent ma douleur, ma colère, ma haine.
Seigneur, si mon repos vous est si précieux,
Si moi-même jamais je fus chère à vos yeux,
Éclaircissez le trouble où vous voyez mon âme.
880 Que vous a dit Titus ?

ANTIOCHUS

Au nom des dieux, madame...

BÉRÉNICE

Quoi ! vous craignez si peu de me désobéir ?

ANTIOCHUS

Je n'ai qu'à vous parler pour me faire haïr.

BÉRÉNICE

Je veux que vous parliez.

ANTIOCHUS

Dieux ! quelle violence !
Madame, encore un coup, vous loûrez mon silence.

BÉRÉNICE

885 Prince, dès ce moment contentez mes souhaits,
Ou soyez de ma haine assuré pour jamais.

ANTIOCHUS

Madame, après cela, je ne puis plus me taire.
Hé bien, vous le voulez, il faut vous satisfaire.
Mais ne vous flattez point : je vais vous annoncer
890 Peut-être des malheurs où vous n'osez penser.
Je connais votre cœur : vous devez vous attendre
Que je vais le frapper par l'endroit le plus tendre.
Titus m'a commandé...

BÉRÉNICE

Quoi ?

ANTIOCHUS

De vous déclarer
Qu'à jamais l'un de l'autre il faut vous séparer.

BÉRÉNICE

895 Nous séparer ? Qui ? Moi ? Titus de Bérénice !

ANTIOCHUS

Il faut que devant vous je lui rende justice.
Tout ce que dans un cœur sensible et généreux
L'amour au désespoir peut rassembler d'affreux,
Je l'ai vu dans le sien. Il pleure ; il vous adore.
900 Mais enfin que lui sert de vous aimer encore ?
Une reine est suspecte à l'empire romain.
Il faut vous séparer, et vous partez demain.

BÉRÉNICE

Nous séparer ! Hélas, Phénice !

PHÉNICE

Hé bien, madame?
Il faut ici montrer la grandeur de votre âme.
905 Ce coup sans doute est rude, il doit vous étonner.

BÉRÉNICE

Après tant de serments, Titus m'abandonner!
Titus qui me jurait... Non, je ne le puis croire :
Il ne me quitte point, il y va de sa gloire.
Contre son innocence on veut me prévenir.
910 Ce piège n'est tendu que pour nous désunir.
Titus m'aime. Titus ne veut point que je meure.
Allons le voir. Je veux lui parler tout à l'heure.
Allons.

ANTIOCHUS

Quoi? vous pourriez ici me regarder...

BÉRÉNICE

Vous le souhaitez trop pour me persuader.
915 Non, je ne vous crois point. Mais quoiqu'il en puisse
[être,
Pour jamais à mes yeux gardez-vous de paraître.
(À Phénice.)
Ne m'abandonne pas dans l'état où je suis.
Hélas! pour me tromper je fais ce que je puis.

SCÈNE IV

ANTIOCHUS, ARSACE

ANTIOCHUS

Ne me trompé-je point? L'ai-je bien entendue?
920 Que je me garde, moi, de paraître à sa vue?
Je m'en garderai bien. Et ne partais-je pas,
Si Titus malgré moi n'eût arrêté mes pas?
Sans doute, il faut partir. Continuons, Arsace.
Elle croit m'affliger : sa haine me fait grâce.
925 Tu me voyais tantôt inquiet, égaré :
Je partais amoureux, jaloux, désespéré;
Et maintenant, Arsace, après cette défense,
Je partirai peut-être avec indifférence.

ARSACE

Moins que jamais, seigneur, il faut vous éloigner.

ANTIOCHUS

930 Moi, je demeurerai pour me voir dédaigner?
Des froideurs de Titus je serai responsable?
Je me verrai puni parce qu'il est coupable?
Avec quelle injustice et quelle indignité
Elle doute à mes yeux de ma sincérité!
935 Titus l'aime, dit-elle, et moi je l'ai trahie.
L'ingrate! M'accuser de cette perfidie!
Et dans quel temps encor? Dans le moment fatal
Que j'étale à ses yeux les pleurs de mon rival,
Que pour la consoler je le faisais paraître
940 Amoureux et constant, plus qu'il ne l'est peut-être.

ARSACE

Et de quel soin, seigneur, vous allez-vous troubler ?
Laissez à ce torrent le temps de s'écouler.
Dans huit jours, dans un mois, n'importe, il faut qu'il
[passe.
Demeurez seulement.

ANTIOCHUS

                    Non, je la quitte, Arsace.
945 Je sens qu'à sa douleur je pourrais compatir :
Ma gloire, mon repos, tout m'excite à partir.
Allons ; et de si loin évitons la cruelle,
Que de longtemps, Arsace, on ne nous parle d'elle.
Toutefois il nous reste encore assez de jour :
950 Je vais dans mon palais attendre ton retour.
Va voir si la douleur ne l'a point trop saisie.
Cours ; et partons du moins assurés de sa vie.

ACTE IV

SCÈNE PREMIÈRE

BÉRÉNICE, *seule*.

Phénice ne vient point? Moments trop rigoureux,
Que vous paraissez lents à mes rapides vœux!
955 Je m'agite, je cours, languissante, abattue;
La force m'abandonne, et le repos me tue.
Phénice ne vient point? Ah! que cette longueur
D'un présage funeste épouvante mon cœur!
Phénice n'aura point de réponse à me rendre.
960 Titus, l'ingrat Titus n'a point voulu l'entendre:
Il fuit, il se dérobe à ma juste fureur.

SCÈNE II

BÉRÉNICE, PHÉNICE

BÉRÉNICE

Chère Phénice, hé bien! as-tu vu l'empereur?
Qu'a-t-il dit? Viendra-t-il?

PHÉNICE

Oui, je l'ai vu, madame,
Et j'ai peint à ses yeux le trouble de votre âme.
965 J'ai vu couler des pleurs qu'il voulait retenir.

BÉRÉNICE

Vient-il?

PHÉNICE

N'en doutez point, madame, il va venir.
Mais voulez-vous paraître en ce désordre extrême?
Remettez-vous, madame, et rentrez en vous-même.
Laissez-moi relever ces voiles détachés,
970 Et ces cheveux épars dont vos yeux sont cachés.
Souffrez que de vos pleurs je répare l'outrage.

BÉRÉNICE

Laisse, laisse, Phénice, il verra son ouvrage.
Et que m'importe, hélas! de ces vains ornements?
Si ma foi, si mes pleurs, si mes gémissements,
975 Mais que dis-je, mes pleurs? si ma perte certaine,
Si ma mort toute prête enfin ne le ramène,
Dis-moi, que produiront tes secours superflus,
Et tout ce faible éclat qui ne le touche plus?

PHÉNICE

Pourquoi lui faites-vous cet injuste reproche?
980 J'entends du bruit, madame, et l'empereur s'approche.
Venez, fuyez la foule, et rentrons promptement.
Vous l'entretiendrez seul dans votre appartement.

SCÈNE III

TITUS, PAULIN, SUITE

TITUS

De la reine, Paulin, flattez l'inquiétude.
Je vais la voir. Je veux un peu de solitude.
985 Que l'on me laisse.

PAULIN

           Ô ciel ! que je crains ce combat !
Grands dieux, sauvez sa gloire et l'honneur de l'État.
Voyons la reine.

SCÈNE IV

TITUS, *seul.*

           Hé bien ! Titus, que viens-tu faire ?
Bérénice t'attend. Où viens-tu, téméraire ?
Tes adieux sont-ils prêts ? T'es-tu bien consulté ?
990 Ton cœur te promet-il assez de cruauté ?
Car enfin au combat qui pour toi se prépare
C'est peu d'être constant, il faut être barbare.
Soutiendrai-je ces yeux dont la douce langueur
Sait si bien découvrir les chemins de mon cœur ?
995 Quand je verrai ces yeux armés de tous leurs charmes,
Attachés sur les miens, m'accabler de leurs larmes,
Me souviendrai-je alors de mon triste devoir ?
Pourrais-je dire enfin : *Je ne veux plus vous voir ?*

Je viens percer un cœur que j'adore, qui m'aime.
1000 Et pourquoi le percer? Qui l'ordonne? Moi-même.
Car enfin Rome a-t-elle expliqué ses souhaits?
L'entendons-nous crier autour de ce palais?
Vois-je l'État penchant au bord du précipice?
Ne le puis-je sauver que par ce sacrifice?
1005 Tout se tait; et moi seul, trop prompt à me troubler,
J'avance des malheurs que je puis reculer.
Et qui sait si, sensible aux vertus de la reine,
Rome ne voudra point l'avouer pour Romaine?
Rome peut par son choix justifier le mien.
1010 Non, non, encore un coup, ne précipitons rien.
Que Rome avec ses lois mette dans la balance
Tant de pleurs, tant d'amour, tant de persévérance:
Rome sera pour nous. Titus, ouvre les yeux!
Quel air respires-tu? N'es-tu pas dans ces lieux
1015 Où la haine des rois, avec le lait sucée,
Par crainte ou par amour ne peut être effacée?
Rome jugea ta reine en condamnant ses rois.
N'as-tu pas en naissant entendu cette voix?
Et n'as-tu pas encore ouï la Renommée
1020 T'annoncer ton devoir jusque dans ton armée?
Et lorsque Bérénice arriva sur tes pas,
Ce que Rome en jugeait, ne l'entendis-tu pas?
Faut-il donc tant de fois te le faire redire?
Ah lâche! fais l'amour, et renonce à l'Empire.
1025 Au bout de l'univers va, cours te confiner,
Et fais place à des cœurs plus dignes de régner.
Sont-ce là ces projets de grandeur et de gloire
Qui devaient dans les cœurs consacrer ma mémoire?
Depuis huit jours je règne; et jusques à ce jour,
1030 Qu'ai-je fait pour l'honneur? J'ai tout fait pour
[l'amour.

D'un temps si précieux quel compte puis-je rendre?
Où sont ces heureux jours que je faisais attendre?
Quels pleurs ai-je séchés? Dans quels yeux satisfaits
Ai-je déjà goûté le fruit de mes bienfaits?
1035 L'univers a-t-il vu changer ses destinées?
Sais-je combien le ciel m'a compté de journées?
Et de ce peu de jours si longtemps attendus,
Ah! malheureux, combien j'en ai déjà perdus[1]!

    Ne tardons plus : faisons ce que l'honneur exige;
1040 Rompons le seul lien...

SCÈNE V

BÉRÉNICE, TITUS

BÉRÉNICE, *en sortant.*

        Non, laissez-moi, vous dis-je.
En vain tous vos conseils me retiennent ici :
Il faut que je le voie. Ah, seigneur! vous voici.
    Hé bien, il est donc vrai que Titus m'abandonne?
Il faut nous séparer; et c'est lui qui l'ordonne[2].

TITUS

1045 N'accablez point, madame, un prince malheureux :
Il ne faut point ici nous attendrir tous deux.
Un trouble assez cruel m'agite et me dévore,
Sans que des pleurs si chers me déchirent encore.
Rappelez bien plutôt ce cœur, qui tant de fois
1050 M'a fait de mon devoir reconnaître la voix.
Il en est temps. Forcez votre amour à se taire;
Et d'un œil que la gloire et la raison éclaire,
Contemplez mon devoir dans toute sa rigueur.

Vous-même contre vous fortifiez mon cœur :
1055 Aidez-moi, s'il se peut, à vaincre sa faiblesse,
À retenir des pleurs qui m'échappent sans cesse ;
Ou si nous ne pouvons commander à nos pleurs,
Que la gloire du moins soutienne nos douleurs,
Et que tout l'univers reconnaisse sans peine
1060 Les pleurs d'un empereur et les pleurs d'une reine.
Car enfin, ma princesse, il faut nous séparer.

BÉRÉNICE

Ah ! cruel ! Est-il temps de me le déclarer ?
Qu'avez-vous fait ? Hélas ! je me suis crue aimée.
Au plaisir de vous voir mon âme accoutumée
1065 Ne vit plus que pour vous. Ignoriez-vous vos lois,
Quand je vous l'avouai pour la première fois ?
À quel excès d'amour m'avez-vous amenée !
Que ne me disiez-vous : « Princesse infortunée,
Où vas-tu t'engager, et quel est ton espoir ?
1070 Ne donne point un cœur qu'on ne peut recevoir. »
Ne l'avez-vous reçu, cruel, que pour le rendre,
Quand de vos seules mains ce cœur voudrait
                                    [dépendre ?
Tout l'Empire a vingt fois conspiré contre nous.
Il était temps encor : que ne me quittiez-vous ?
1075 Mille raisons alors consolaient ma misère :
Je pouvais de ma mort accuser votre père,
Le peuple, le sénat, tout l'empire romain,
Tout l'univers, plutôt qu'une si chère main.
Leur haine, dès longtemps contre moi déclarée,
1080 M'avait à mon malheur dès longtemps préparée.
Je n'aurais pas, seigneur, reçu ce coup cruel
Dans le temps que j'espère un bonheur immortel,
Quand votre heureux amour peut tout ce qu'il désire,

Lorsque Rome se tait, quand votre père expire,
1085 Lorsque tout l'univers fléchit à vos genoux.
Enfin quand je n'ai plus à redouter que vous.

TITUS

Et c'est moi seul aussi qui pouvais me détruire.
Je pouvais vivre alors et me laisser séduire.
Mon cœur se gardait bien d'aller dans l'avenir
1090 Chercher ce qui pouvait un jour nous désunir.
Je voulais qu'à mes vœux rien ne fût invincible,
Je n'examinais rien, j'espérais l'impossible.
Que sais-je ? j'espérais de mourir à vos yeux,
Avant que d'en venir à ces cruels adieux.
1095 Les obstacles semblaient renouveler ma flamme.
Tout l'Empire parlait ; mais la gloire, madame,
Ne s'était point encor fait entendre à mon cœur
Du ton dont elle parle au cœur d'un empereur.
Je sais tous les tourments où ce dessein me livre ;
1100 Je sens bien que sans vous je ne saurais plus vivre,
Que mon cœur de moi-même est prêt à s'éloigner ;
Mais il ne s'agit plus de vivre, il faut régner.

BÉRÉNICE

Hé bien ! régnez, cruel ; contentez votre gloire :
Je ne dispute plus. J'attendais, pour vous croire,
1105 Que cette même bouche, après mille serments
D'un amour qui devait unir tous nos moments,
Cette bouche, à mes yeux s'avouant infidèle,
M'ordonnât elle-même une absence éternelle.
Moi-même j'ai voulu vous entendre en ce lieu.
1110 Je n'écoute plus rien ; et pour jamais, adieu.
  Pour jamais ! Ah ! seigneur, songez-vous en vous-
             [même

Combien ce mot cruel est affreux quand on aime ?
Dans un mois, dans un an, comment souffrirons-nous,
Seigneur, que tant de mers me séparent de vous ?
1115 Que le jour recommence et que le jour finisse,
Sans que jamais Titus puisse voir Bérénice,
Sans que de tout le jour je puisse voir Titus !
    Mais quelle est mon erreur, et que de soins perdus !
L'ingrat, de mon départ consolé par avance,
1120 Daignera-t-il compter les jours de mon absence ?
Ces jours si longs pour moi lui sembleront trop courts.

TITUS

Je n'aurai pas, madame, à compter tant de jours.
J'espère que bientôt la triste Renommée
Vous fera confesser que vous étiez aimée.
1125 Vous verrez que Titus n'a pu sans expirer...

BÉRÉNICE

Ah ! seigneur, s'il est vrai, pourquoi nous séparer ?
Je ne vous parle point d'un heureux hyménée :
Rome à ne vous plus voir m'a-t-elle condamnée ?
Pourquoi m'enviez-vous l'air que vous respirez ?

TITUS

1130 Hélas ! vous pouvez tout, madame. Demeurez :
Je n'y résiste point. Mais je sens ma faiblesse :
Il faudra vous combattre et vous craindre sans cesse,
Et sans cesse veiller à retenir mes pas
Que vers vous à toute heure entraînent vos appas.
1135 Que dis-je ? En ce moment mon cœur, hors de lui-
                    [même,
S'oublie, et se souvient seulement qu'il vous aime.

BÉRÉNICE

Hé bien, seigneur, hé bien! qu'en peut-il arriver?
Voyez-vous les Romains prêts à se soulever?

TITUS

Et qui sait de quel œil ils prendront cette injure?
1140 S'ils parlent, si les cris succèdent au murmure,
Faudra-t-il par le sang justifier mon choix?
S'ils se taisent, madame, et me vendent leurs lois,
À quoi m'exposez-vous? Par quelle complaisance
Faudra-t-il quelque jour payer leur patience?
1145 Que n'oseront-ils point alors me demander?
Maintiendrai-je des lois que je ne puis garder?

BÉRÉNICE

Vous ne comptez pour rien les pleurs de Bérénice.

TITUS

Je les compte pour rien? Ah ciel! quelle injustice!

BÉRÉNICE

Quoi? pour d'injustes lois que vous pouvez changer,
1150 En d'éternels chagrins vous-même vous plonger?
Rome a ses droits, seigneur. N'avez-vous pas les
                                              [vôtres?
Ses intérêts sont-ils plus sacrés que les nôtres?
Dites, parlez.

TITUS

Hélas! Que vous me déchirez!

BÉRÉNICE

Vous êtes empereur, seigneur, et vous pleurez!

TITUS

1155 Oui, madame, il est vrai, je pleure, je soupire,
Je frémis. Mais enfin, quand j'acceptai l'Empire,
Rome me fit jurer de maintenir ses droits :
Il les faut maintenir. Déjà plus d'une fois
Rome a de mes pareils exercé la constance.
1160 Ah ! si vous remontiez jusques à sa naissance,
Vous les verriez toujours à ses ordres soumis.
L'un, jaloux de sa foi, va chez les ennemis
Chercher, avec la mort, la peine toute prête ;
D'un fils victorieux l'autre proscrit la tête ;
1165 L'autre, avec des yeux secs et presque indifférents,
Voit mourir ses deux fils par son ordre expirants.
Malheureux ! mais toujours la patrie et la gloire[1]
Ont parmi les Romains remporté la victoire.
Je sais qu'en vous quittant le malheureux Titus
1170 Passe l'austérité de toutes leurs vertus ;
Qu'elle n'approche point de cet effort insigne.
Mais, madame, après tout, me croyez-vous indigne
De laisser un exemple à la postérité,
Qui sans de grands efforts ne puisse être imité ?

BÉRÉNICE

1175 Non, je crois tout facile à votre barbarie.
Je vous crois digne, ingrat, de m'arracher la vie.
De tous vos sentiments mon cœur est éclairci.
Je ne vous parle plus de me laisser ici.
Qui ? moi ? j'aurais voulu, honteuse et méprisée,
1180 D'un peuple qui me hait soutenir la risée ?
J'ai voulu vous pousser jusques à ce refus.
C'en est fait, et bientôt vous ne me craindrez plus.
N'attendez pas ici que j'éclate en injures,

Que j'atteste le ciel, ennemi des parjures.
1185 Non, si le ciel encore est touché de mes pleurs,
Je le prie en mourant d'oublier mes douleurs.
Si je forme des vœux contre votre injustice,
Si devant que mourir la triste Bérénice
Vous veut de son trépas laisser quelque vengeur,
1190 Je ne le cherche, ingrat, qu'au fond de votre cœur.
Je sais que tant d'amour n'en peut être effacée;
Que ma douleur présente, et ma bonté passée,
Mon sang, qu'en ce palais je veux même verser,
Sont autant d'ennemis que je vais vous laisser;
1195 Et sans me repentir de ma persévérance,
Je me remets sur eux de toute ma vengeance.
Adieu.

SCÈNE VI

TITUS, PAULIN

PAULIN

Dans quel dessein vient-elle de sortir,
Seigneur? Est-elle enfin disposée à partir?

TITUS

Paulin, je suis perdu, je n'y pourrai survivre.
1200 La reine veut mourir. Allons, il faut la suivre.
Courons à son secours.

PAULIN

Hé quoi? n'avez-vous pas
Ordonné dès tantôt qu'on observe ses pas?
Ses femmes, à toute heure autour d'elle empressées,

Sauront la détourner de ces tristes pensées.
1205 Non, non, ne craignez rien. Voilà les plus grands
                                              [coups,
Seigneur : continuez, la victoire est à vous.
Je sais que sans pitié vous n'avez pu l'entendre ;
Moi-même en la voyant je n'ai pu m'en défendre.
Mais regardez plus loin : songez, en ce malheur,
1210 Quelle gloire va suivre un moment de douleur,
Quels applaudissements l'univers vous prépare,
Quel rang dans l'avenir.

TITUS

                          Non, je suis un barbare.
Moi-même je me hais. Néron, tant détesté,
N'a point à cet excès poussé sa cruauté.
1215 Je ne souffrirai point que Bérénice expire.
Allons, Rome en dira ce qu'elle en voudra dire.

PAULIN

Quoi ! seigneur ?

TITUS

                   Je ne sais, Paulin, ce que je dis.
L'excès de la douleur accable mes esprits.

PAULIN

Ne troublez point le cours de votre renommée :
1220 Déjà de vos adieux la nouvelle est semée.
Rome, qui gémissait, triomphe avec raison ;
Tous les temples ouverts fument en votre nom ;
Et le peuple, élevant vos vertus jusqu'aux nues,
Va partout de lauriers couronner vos statues.

TITUS

1225 Ah, Rome ! Ah, Bérénice ! Ah, prince malheureux !
Pourquoi suis-je empereur ? Pourquoi suis-je
[amoureux ?

SCÈNE VII

TITUS, ANTIOCHUS, PAULIN, ARSACE

ANTIOCHUS

Qu'avez-vous fait, seigneur ? L'aimable Bérénice
Va peut-être expirer dans les bras de Phénice.
Elle n'entend ni pleurs, ni conseil, ni raison ;
1230 Elle implore à grands cris le fer et le poison.
Vous seul vous lui pouvez arracher cette envie.
On vous nomme, et ce nom la rappelle à la vie.
Ses yeux, toujours tournés vers votre appartement,
Semblent vous demander de moment en moment.
1235 Je n'y puis résister, ce spectacle me tue.
Que tardez-vous ? allez vous montrer à sa vue[1].
Sauvez tant de vertus, de grâces, de beauté,
Ou renoncez, seigneur, à toute humanité.
Dites un mot

TITUS

Hélas ! quel mot puis-je lui dire ?
1240 Moi-même en ce moment sais-je si je respire ?

SCÈNE VIII

TITUS, ANTIOCHUS, PAULIN,
ARSACE, RUTILE

RUTILE

Seigneur, tous les tribuns, les consuls, le sénat
Viennent vous demander au nom de tout l'État.
Un grand peuple les suit, qui, plein d'impatience,
Dans votre appartement attend votre présence.

TITUS

1245 Je vous entends, grands dieux. Vous voulez rassurer
Ce cœur que vous voyez tout prêt à s'égarer.

PAULIN

Venez, seigneur, passons dans la chambre prochaine :
Allons voir le sénat.

ANTIOCHUS

Ah! courez chez la reine.

PAULIN

Quoi? vous pourriez, seigneur, par cette indignité,
1250 De l'Empire à vos pieds fouler la majesté?
Rome...

TITUS

Il suffit, Paulin, nous allons les entendre.
Prince, de ce devoir je ne puis me défendre.
Voyez la reine. Allez. J'espère, à mon retour,
Qu'elle ne pourra plus douter de mon amour[1].

ACTE V

SCÈNE PREMIÈRE

ARSACE, *seul.*

1255 Où pourrai-je trouver ce prince trop fidèle ?
Ciel, conduisez mes pas, et secondez mon zèle.
Faites qu'en ce moment je lui puisse annoncer
Un bonheur où peut-être il n'ose plus penser.

SCÈNE II

ANTIOCHUS, ARSACE

ARSACE

Ah ! quel heureux destin en ces lieux vous renvoie,
1260 Seigneur ?

ANTIOCHUS

Si mon retour t'apporte quelque joie,
Arsace, rends-en grâce à mon seul désespoir.

ARSACE

La reine part, seigneur.

ANTIOCHUS

Elle part ?

ARSACE

Dès ce soir.
Ses ordres sont donnés. Elle s'est offensée
Que Titus à ses pleurs l'ait si longtemps laissée.
1265 Un généreux dépit succède à sa fureur :
Bérénice renonce à Rome, à l'empereur,
Et même veut partir avant que Rome instruite
Puisse voir son désordre et jouir de sa fuite.
Elle écrit à César.

ANTIOCHUS

Ô ciel ! qui l'aurait cru ?
1270 Et Titus ?

ARSACE

À ses yeux Titus n'a point paru.
Le peuple avec transport l'arrête et l'environne,
Applaudissant aux noms que le sénat lui donne ;
Et ces noms, ces respects, ces applaudissements,
Deviennent pour Titus autant d'engagements,
1275 Qui le liant, seigneur, d'une honorable chaîne,
Malgré tous ses soupirs et les pleurs de la reine,
Fixent dans son devoir ses vœux irrésolus.
C'en est fait ; et peut-être il ne la verra plus.

ANTIOCHUS

Que de sujets d'espoir, Arsace, je l'avoue !
1280 Mais d'un soin si cruel la fortune me joue,

J'ai vu tous mes projets tant de fois démentis,
Que j'écoute en tremblant tout ce que tu me dis;
Et mon cœur, prévenu d'une crainte importune,
Croit même, en espérant, irriter la fortune.
1285 Mais que vois-je? Titus porte vers nous ses pas.
Que veut-il?

SCÈNE III

TITUS, ANTIOCHUS, ARSACE

TITUS, *en entrant.*

Demeurez : qu'on ne me suive pas.
Enfin, prince, je viens dégager ma promesse.
Bérénice m'occupe et m'afflige sans cesse.
Je viens, le cœur percé de vos pleurs et des siens,
1290 Calmer des déplaisirs moins cruels que les miens.
Venez, prince, venez. Je veux bien que vous-même
Pour la dernière fois vous voyez si je l'aime.

SCÈNE IV

ANTIOCHUS, ARSACE

ANTIOCHUS

Hé bien! voilà l'espoir que tu m'avais rendu,
Et tu vois le triomphe où j'étais attendu.
1295 Bérénice partait justement irritée!
Pour ne la plus revoir, Titus l'avait quittée!
Qu'ai-je donc fait, grands dieux? Quel cours infortuné

À ma funeste vie aviez-vous destiné?
Tous mes moments ne sont qu'un éternel passage
1300 De la crainte à l'espoir, de l'espoir à la rage.
Et je respire encor? Bérénice! Titus!
Dieux cruels! de mes pleurs vous ne vous rirez plus.

SCÈNE V

TITUS, BÉRÉNICE, PHÉNICE

BÉRÉNICE

Non, je n'écoute rien. Me voilà résolue :
Je veux partir. Pourquoi vous montrer à ma vue?
1305 Pourquoi venir encore aigrir mon désespoir?
N'êtes-vous pas content? Je ne veux plus vous voir.

TITUS

Mais, de grâce, écoutez.

BÉRÉNICE

                    Il n'est plus temps.

TITUS

                                        Madame,
Un mot.

BÉRÉNICE

        Non.

TITUS

            Dans quel trouble elle jette mon âme!
Ma princesse, d'où vient ce changement soudain?

BÉRÉNICE

1310 C'en est fait. Vous voulez que je parte demain ;
Et moi, j'ai résolu de partir tout à l'heure ;
Et je pars.

TITUS

Demeurez.

BÉRÉNICE

Ingrat, que je demeure !
Et pourquoi ? Pour entendre un peuple injurieux
Qui fait de mon malheur retentir tous ces lieux ?
1315 Ne l'entendez-vous pas, cette cruelle joie,
Tandis que dans les pleurs moi seule je me noie ?
Quel crime, quelle offense a pu les animer ?
Hélas ! et qu'ai-je fait que de vous trop aimer ?

TITUS

Écoutez-vous, madame, une foule insensée ?

BÉRÉNICE

1320 Je ne vois rien ici dont je ne sois blessée.
Tout cet appartement préparé par vos soins,
Ces lieux, de mon amour si longtemps les témoins,
Qui semblaient pour jamais me répondre du vôtre,
Ces festons, où nos noms enlacés l'un dans l'autre [1]
1325 À mes tristes regards viennent partout s'offrir,
Sont autant d'imposteurs que je ne puis souffrir.
Allons, Phénice.

TITUS

Ô ciel ! Que vous êtes injuste !

BÉRÉNICE

Retournez, retournez vers ce sénat auguste
Qui vient vous applaudir de votre cruauté.
1330 Hé bien, avec plaisir l'avez-vous écouté ?
Êtes-vous pleinement content de votre gloire ?
Avez-vous bien promis d'oublier ma mémoire ?
Mais ce n'est pas assez expier vos amours :
Avez-vous bien promis de me haïr toujours ?

TITUS

1335 Non, je n'ai rien promis. Moi, que je vous haïsse !
Que je puisse jamais oublier Bérénice !
Ah dieux ! dans quel moment son injuste rigueur
De ce cruel soupçon vient affliger mon cœur !
Connaissez-moi, madame, et depuis cinq années
1340 Comptez tous les moments et toutes les journées
Où par plus de transports et par plus de soupirs
Je vous ai de mon cœur exprimé les désirs :
Ce jour surpasse tout. Jamais, je le confesse,
Vous ne fûtes aimée avec tant de tendresse ;
1345 Et jamais...

BÉRÉNICE

Vous m'aimez, vous me le soutenez ;
Et cependant je pars, et vous me l'ordonnez !
Quoi ? dans mon désespoir trouvez-vous tant de
[charmes ?
Craignez-vous que mes yeux versent trop peu de
[larmes ?
Que me sert de ce cœur l'inutile retour ?
1350 Ah, cruel ! par pitié, montrez-moi moins d'amour.
Ne me rappelez point une trop chère idée,
Et laissez-moi du moins partir persuadée

Que déjà de votre âme exilée en secret,
J'abandonne un ingrat qui me perd sans regret.

(Il lit une lettre.)

1355 Vous m'avez arraché ce que je viens d'écrire[1].
Voilà de votre amour tout ce que je désire.
Lisez, ingrat, lisez, et me laissez sortir.

TITUS

Vous ne sortirez point : je n'y puis consentir.
    Quoi ? ce départ n'est donc qu'un cruel stratagème ?
1360 Vous cherchez à mourir ? et de tout ce que j'aime
Il ne restera plus qu'un triste souvenir ?
Qu'on cherche Antiochus : qu'on le fasse venir.

(Bérénice se laisse tomber sur un siège.)

SCÈNE VI

TITUS, BÉRÉNICE

TITUS

Madame, il faut vous faire un aveu véritable.
Lorsque j'envisageai le moment redoutable
1365 Où, pressé par les lois d'un austère devoir,
Il fallait pour jamais renoncer à vous voir ;
Quand de ce triste adieu je prévis les approches,
Mes craintes, mes combats, vos larmes, vos reproches,
Je préparai mon âme à toutes les douleurs[2]
1370 Que peut faire sentir le plus grand des malheurs.
Mais quoi que je craignisse, il faut que je le die,
Je n'en avais prévu que la moindre partie.
Je croyais ma vertu moins prête à succomber

Et j'ai honte du trouble où je la vois tomber.
1375 J'ai vu devant mes yeux Rome entière assemblée;
Le sénat m'a parlé; mais mon âme accablée
Écoutait sans entendre, et ne leur a laissé
Pour prix de leurs transports qu'un silence glacé.
Rome de votre sort est encore incertaine.
1380 Moi-même à tous moments je me souviens à peine
Si je suis empereur ou si je suis Romain.
Je suis venu vers vous sans savoir mon dessein :
Mon amour m'entraînait; et je venais peut-être
Pour me chercher moi-même, et pour me reconnaître.
1385 Qu'ai-je trouvé? Je vois la mort peinte en vos yeux;
Je vois, pour la chercher, que vous quittez ces lieux.
C'en est trop. Ma douleur, à cette triste vue,
À son dernier excès est enfin parvenue.
Je ressens tous les maux que je puis ressentir;
1390 Mais je vois le chemin par où j'en puis sortir.
    Ne vous attendez point que las de tant d'alarmes,
Par un heureux hymen je tarisse vos larmes.
En quelque extrémité que vous m'ayez réduit,
Ma gloire inexorable à toute heure me suit
1395 Sans cesse elle présente à mon âme étonnée
L'Empire incompatible avec votre hyménée,
Me dit qu'après l'éclat et les pas que j'ai faits[1],
Je dois vous épouser encor moins que jamais.
    Oui, madame; et je dois moins encore vous dire
1400 Que je suis prêt pour vous d'abandonner l'Empire,
De vous suivre, et d'aller trop content de mes fers,
Soupirer avec vous au bout de l'univers.
Vous-même rougiriez de ma lâche conduite :
Vous verriez à regret marcher à votre suite
1405 Un indigne empereur, sans empire, sans cour,
Vil spectacle aux humains des faiblesses d'amour.

Pour sortir des tourments dont mon âme est la proie,
Il est, vous le savez, une plus noble voie.
Je me suis vu, madame, enseigner ce chemin
1410 Et par plus d'un héros et par plus d'un Romain :
Lorsque trop de malheurs ont lassé leur constance,
Ils ont tous expliqué cette persévérance
Dont le sort s'attachait à les persécuter,
Comme un ordre secret de n'y plus résister.
1415 Si vos pleurs plus longtemps viennent frapper ma vue,
Si toujours à mourir je vous vois résolue,
S'il faut qu'à tous moments je tremble pour vos jours,
Si vous ne me jurez d'en respecter le cours,
Madame, à d'autres pleurs vous devez vous attendre.
1420 En l'état où je suis, je puis tout entreprendre,
Et je ne réponds pas que ma main à vos yeux
N'ensanglante à la fin nos funestes adieux.

BÉRÉNICE

Hélas !

TITUS

Non, il n'est rien dont je ne sois capable.
Vous voilà de mes jours maintenant responsable.
1425 Songez-y bien, madame. Et si je vous suis cher...

SCÈNE DERNIÈRE

TITUS, BÉRÉNICE, ANTIOCHUS

TITUS

Venez, prince, venez, je vous ai fait chercher.
Soyez ici témoin de toute ma faiblesse ;

Voyez si c'est aimer avec peu de tendresse :
Jugez-nous.

ANTIOCHUS

      Je crois tout : je vous connais tous deux.
1430 Mais connaissez vous-même un prince malheureux[1].
Vous m'avez honoré, seigneur, de votre estime ;
Et moi, je puis ici vous le jurer sans crime,
À vos plus chers amis j'ai disputé ce rang :
Je l'ai disputé même aux dépens de mon sang.
1435 Vous m'avez, malgré moi, confié l'un et l'autre,
La reine son amour, et vous, seigneur, le vôtre.
La reine, qui m'entend, peut me désavouer :
Elle m'a vu toujours ardent à vous louer,
Répondre par mes soins à votre confidence.
1440 Vous croyez m'en devoir quelque reconnaissance ;
Mais le pourriez-vous croire en ce moment fatal,
Qu'un ami si fidèle était votre rival ?

TITUS

Mon rival !

ANTIOCHUS

      Il est temps que je vous éclaircisse.
Oui, seigneur, j'ai toujours adoré Bérénice.
1445 Pour ne la plus aimer, j'ai cent fois combattu :
Je n'ai pu l'oublier ; au moins je me suis tu.
De votre changement la flatteuse apparence
M'avait rendu tantôt quelque faible espérance :
Les larmes de la reine ont éteint cet espoir.
1450 Ses yeux, baignés de pleurs, demandaient à vous voir.
Je suis venu, seigneur, vous appeler moi-même ;
Vous êtes revenu. Vous aimez, on vous aime ;

Vous vous êtes rendu : je n'en ai point douté.
Pour la dernière fois je me suis consulté ;
1455 J'ai fait de mon courage une épreuve dernière ;
Je viens de rappeler ma raison toute entière :
Jamais je ne me suis senti plus amoureux.
Il faut d'autres efforts pour rompre tant de nœuds :
Ce n'est qu'en expirant que je puis les détruire ;
1460 J'y cours. Voilà de quoi j'ai voulu vous instruire.
    Oui, madame, vers vous j'ai rappelé ses pas.
Mes soins ont réussi, je ne m'en repens pas.
Puisse le ciel verser sur toutes vos années
Mille prospérités l'une à l'autre enchaînées !
1465 Ou s'il vous garde encore un reste de courroux,
Je conjure les dieux d'épuiser tous les coups
Qui pourraient menacer une si belle vie,
Sur ces jours malheureux que je vous sacrifie.

BÉRÉNICE, *se levant.*

Arrêtez, arrêtez. Princes trop généreux,
1470 En quelle extrémité me jetez-vous tous deux !
Soit que je vous regarde, ou que je l'envisage,
Partout du désespoir je rencontre l'image.
Je ne vois que des pleurs, et je n'entends parler
Que de trouble, d'horreurs, de sang prêt à couler.

(*À Titus.*)

1475   Mon cœur vous est connu, seigneur, et je puis dire
Qu'on ne l'a jamais vu soupirer pour l'Empire.
La grandeur des Romains, la pourpre des Césars
N'a point, vous le savez, attiré mes regards.
J'aimais, seigneur, j'aimais : je voulais être aimée.
1480 Ce jour, je l'avoûrai, je me suis alarmée :
J'ai cru que votre amour allait finir son cours.
Je connais mon erreur, et vous m'aimez toujours.

Votre cœur s'est troublé, j'ai vu couler vos larmes ;
Bérénice, seigneur, ne vaut point tant d'alarmes,
1485 Ni que par votre amour l'univers malheureux,
Dans le temps que Titus attire tous ses vœux
Et que de vos vertus il goûte les prémices,
Se voie en un moment enlever ses délices[1].
Je crois, depuis cinq ans jusqu'à ce dernier jour,
1490 Vous avoir assuré d'un véritable amour.
Ce n'est pas tout : je veux, en ce moment funeste,
Par un dernier effort couronner tout le reste.
Je vivrai, je suivrai vos ordres absolus.
Adieu, seigneur, régnez : je ne vous verrai plus.

(À Antiochus.)

1495   Prince, après cet adieu, vous jugez bien vous-même
Que je ne consens pas de quitter ce que j'aime,
Pour aller loin de Rome écouter d'autres vœux.
Vivez, et faites-vous un effort généreux.
Sur Titus et sur moi réglez votre conduite.
1500 Je l'aime, je le fuis ; Titus m'aime, il me quitte.
Portez loin de mes yeux vos soupirs et vos fers.
Adieu : servons tous trois d'exemple à l'univers
De l'amour la plus tendre et la plus malheureuse
Dont il puisse garder l'histoire douloureuse.
1505   Tout est prêt. On m'attend. Ne suivez point mes
                                [pas.

(À Titus.)

Pour la dernière fois, adieu, seigneur.

ANTIOCHUS

                    Hélas[2] !

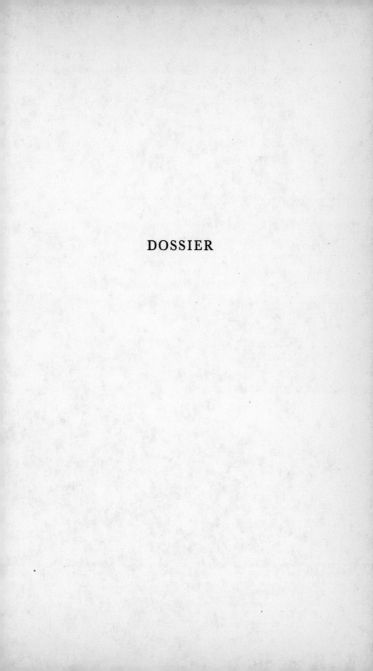

DOSSIER

CHRONOLOGIE
1639-1699

1638. Naissance de Louis XIV.

1639. *22 décembre* : baptême de Jean Racine à La Ferté-Milon.

1641. Mort de la mère de Racine.

1642. *Les Femmes illustres* de Georges de Scudéry, incorporant une harangue de Bérénice à Titus.

1643. Mort du père de Racine, qui est recueilli par ses grands-parents maternels.

1648-1651. *Bérénice,* roman inachevé de Segrais.

1649-1653. Racine est élève aux Petites Écoles de Port-Royal.

1653. *Octobre* : Racine entre au collège de Beauvais.

1655. *Octobre* : retour à Port-Royal.

1658. *Octobre* : Racine entre au collège d'Harcourt, à Paris.

1660. Mariage de Louis XIV avec Marie-Thérèse, dont l'entrée solennelle à Paris est célébrée par l'ode de Racine *La Nymphe de la Seine à la Reine.*

Jean Magnon : *Tite,* tragi-comédie.

1661. Début du règne personnel de Louis XIV.

1661 (*octobre*)-1663. Racine séjourne à Uzès chez son oncle, Antoine Sconin, vicaire général.

1663. Retour à Paris.

Juillet : ode *Sur la convalescence du Roi* (guéri de la rougeole).

Novembre : ode *La Renommée aux Muses.*

1664. *20 juin* : première de *La Thébaïde ou les Frères ennemis*, par la troupe de Molière, au Palais-Royal.

1665. *4 décembre* : première d'*Alexandre le Grand*, par la troupe de Molière, au Palais-Royal.

1666. *Janvier-mars* : Racine s'engage dans une polémique épistolaire sur le théâtre contre Nicole, signalant sa rupture avec Port-Royal.

1667. *17 novembre* : première d'*Andromaque*, par la Troupe Royale, au Louvre. La pièce connaît un grand succès ensuite à l'Hôtel de Bourgogne.

Traduction des *Antiquités judaïques* (1667) et de *La Guerre des Juifs* (1668) de Flavius Josèphe par Arnauld d'Andilly.

1668. *Novembre* : première des *Plaideurs*.

1669. *13 décembre* : première de *Britannicus*, à l'Hôtel de Bourgogne.

1670. *21 novembre* : première de *Bérénice*, à l'Hôtel de Bourgogne.

28 novembre : première de *Tite et Bérénice*, comédie héroïque de Pierre Corneille, au Palais-Royal.

31 décembre : privilège de la *Critique de « Bérénice »* de l'abbé Montfaucon de Villars, qui est suivie de la *Critique de « Tite et Bérénice »*.

1671. *17 février* : privilège de la *Réponse à la Critique de « Bérénice »* par le Sieur de S***.

1672. *5 janvier* : première de *Bajazet*, à l'Hôtel de Bourgogne.

1673. *12 janvier* : réception de Racine à l'Académie française.

Janvier : première de *Mithridate*, à l'Hôtel de Bourgogne.

Tite et Titus, ou les Bérénices (anonyme).

Fin de l'année : mort de l'abbé de Villars, assassiné.

1674. *18 août* : première d'*Iphigénie*, à l'Orangerie de Versailles.

1675. *31 décembre* : achevé d'imprimer de la première édition collective des *Œuvres* de Racine en deux volumes.

1677. *1ᵉʳ janvier* : première de *Phèdre*, à l'Hôtel de Bourgogne.

3 janvier : première de *Phèdre et Hippolyte* de Pradon, par la troupe du théâtre Guénégaud.

31 mai : mariage de Racine avec Catherine de Romanet, dont il aura sept enfants.

Automne : Racine, qui renonce au théâtre, est nommé historiographe de Roi, ainsi que Boileau. La réconciliation de Racine avec Port-Royal date de la même année.

1683. *Arlequin Protée* de Fatouville, farce jouée par les Comédiens Italiens, incorporant une parodie de *Bérénice*.

1684. *1ᵉʳ octobre* : mort de Pierre Corneille.

1685. *2 janvier* : Racine prononce l'éloge de Corneille à l'Académie française.

16 juillet : *Idylle sur la paix* composée pour une fête donnée à

Sceaux par le marquis de Seignelay, fils de Colbert (musique de Lully).

1687. Deuxième édition collective des *Œuvres*.

1689. *26 janvier* : première d'*Esther*, à Saint-Cyr, en présence du Roi.

1691. *Janvier* : première d'*Athalie*, à Saint-Cyr, en présence du Roi.

1693. *Mai-juin* : Racine accompagne pour la dernière fois Louis XIV dans ses campagnes en tant qu'historiographe du Roi.

1694. Composition d'une épitaphe à l'occasion des obsèques d'Antoine Arnauld. *Cantiques spirituels*.

1695-1699. Rédaction de l'*Abrégé de l'Histoire de Port-Royal*, qui ne sera publié qu'en 1742-1767.

1697. Troisième édition collective des *Œuvres*.

1699. *21 avril* : mort de Racine à Paris, suivie de son inhumation à Port-Royal.

NOTICE

Bérénice fut imprimée pour la première fois en 1671 chez Claude Barbin (le 24 février, trois mois après sa création). La pièce a été reprise dans les trois éditions collectives des *Œuvres* de Racine parues de son vivant : en 1676, en 1687 et en 1697. Nous reproduisons ici le texte de la dernière édition publiée du vivant de l'auteur, en 1697, suivant les principes d'orthographe et de ponctuation adoptés par Raymond Picard dans son édition des *Œuvres complètes* parues dans la Pléiade.

AUTOUR DE « BÉRÉNICE »

Louis Racine, dans ses *Mémoires sur la vie de Jean Racine*, présente l'histoire de *Bérénice* comme celle d'un duel lancé, selon la légende, par Henriette-Anne d'Angleterre (à qui Racine avait déjà dédié *Andromaque*), et gagné sans effort par le père du biographe : « En effet, ce vers de Virgile :

Infelix puer atque impar congressus Achilli

fut appliqué par quelques personnes au jeune combattant, à qui cependant la victoire demeura. Elle ne fut pas même disputée ; la partie n'était pas égale. Corneille n'était plus le Corneille du *Cid* et des *Horaces* ; il était devenu l'auteur d'*Agésilas*. »

Louis Racine considère ensuite les critiques défavorables de la pièce, énumérant certains changements de détail faits, selon lui, à la suite du libelle de l'abbé de Villars, avant de mentionner la

« parodie bouffonne » (il s'agit de l'*Arlequin Protée* de Fatouville créée par les Comédiens Italiens en 1683), qui l'incite à conclure que « c'était dans de pareils moments que [Racine] se dégoûtait du métier de poète, et qu'il faisait résolution d'y renoncer ».

Parmi les œuvres que Racine a pu connaître (sinon celles dont il s'est inspiré), citons la neuvième harangue (« Bérénice à Titus ») des *Femmes illustres* de Georges de Scudéry (1642) ; *Bérénice* (1648-1650), roman inachevé attribué à Segrais (dont Léon Bredif note toutefois dans son étude sur l'auteur, en 1863 : « Le roman de Segrais n'a que le titre commun avec les deux tragédies de Racine et de P. Corneille ») ; et surtout la tragi-comédie de Jean Magnon, *Tite* (1660), où figure une Bérénice travestie en homme que Tite finit par épouser. Rappelons d'autre part que *Les Antiquités judaïques* de Flavius Josèphe furent traduites par Arnauld d'Andilly en 1667, et *La Guerre des Juifs* en 1668.

LES COMMENTAIRES CONTEMPORAINS

Trois documents suivirent de près la création de la pièce. Le premier, et le plus célèbre, est la *Critique de « Bérénice »* de l'abbé Nicolas Montfaucon de Villars (janvier 1671). Le libelle de Villars a ceci de remarquable, qu'il identifie, le plus souvent sur un ton péjoratif, certaines difficultés fondamentales relevées par les critiques ultérieurs. Il prend la forme d'une lettre, dans laquelle le spectateur des deux premières de *Bérénice* raconte ses réactions successives à la pièce. Au premier abord, il aurait été trop préoccupé par les règles « cornéliennes » pour être pleinement sensible aux charmes affectifs de Racine ; mais à la seconde représentation, « j'ai attrapé M. Corneille, j'ai laissé mesdemoiselles les règles à la porte, j'ai vu la comédie, je l'ai trouvée fort affligeante et j'y ai pleuré comme un ignorant ». Ces remarques fournissent le cadre à l'intérieur duquel une série d'objections techniques est esquissée. Celles-ci concernent principalement :

1. *La vérité historique* : le rôle d'Antiochus serait un rôle d'utilité pour « un acteur inutile, qui n'est introduit que pour faire perdre du temps » ; en plus, il est « naturellement prolixe en lamentations et en irrésolutions, et [...] a toujours un *toutefois* et un *hélas* de poche pour amuser le théâtre » ; des questions plus détaillées relatives à la vérité

historique sont également évoquées, ainsi l'objection que Bérénice, en lançant un appel aux dieux, ne se comporte pas en Juive mais en païenne (Racine tiendra compte de l'objection et corrigera : « les dieux » en : « le ciel »).

2. *L'invraisemblance de l'unité de lieu* : « Le cabinet des empereurs romains était-il si peu respecté, qu'on se servît de sa porte secrète pour aller parler d'amour à leurs maîtresses, et qu'on allât et vînt par là, comme par une salle du commun ? »

3. *La structure* : le premier acte constituerait une espèce de prologue ; l'*inventio* serait trop faible : « toute cette pièce, si l'on y prend garde, n'est que la matière d'une scène » ; certaines liaisons de scène seraient manquées (on considérait comme une faute dramatique de laisser la scène vide, ce qui arrive entre les scènes 2 et 3 de l'acte IV et entre les scènes 4 et 5 de l'acte V) ; et le dénouement serait inattendu.

4. *Le statut moral des personnages* : Titus serait insuffisamment héroïque : « ce n'était pas un héros romain que le poète nous voulait représenter, mais seulement un amant fidèle qui filait le parfait amour à la Céladone », et un jugement moral objectif ne le préférerait pas automatiquement à Antiochus ; Bérénice ne serait « ni reine ni honnête femme ».

5. *La poétique* : la pièce dépendrait trop de ses effets lyriques, ne constituant ainsi qu' « un tissu galant de madrigaux et d'élégies » ; et le vers : « Vous êtes empereur, seigneur, et vous pleurez » est jugé comique. Tout cela aboutit à la conclusion qu' « un honnête homme remporte ce fruit de cette pièce, qu'il doit quitter ce qu'il aime quand il ne peut le conserver sans dommage ».

Deux documents suivirent cette publication :

1. Une *Réponse à la Critique de « Bérénice »* (parue en mars 1671) du « sieur de S *** », attribuée à l'abbé de Saint-Ussans, plutôt sèche, souvent ironique, et dont la conclusion se borne à constater que la fin justifie les moyens : « Les larmes étant la fin de la tragédie et la glorieuse récompense du poète, celui-ci a sujet d'être satisfait de sa pièce. » Comme dans d'autres réponses polémiques, l'élan du libelle initial est perdu.

2. Une satire anonyme intitulée *Tite et Titus, ou les Bérénices*, publiée à Utrecht en 1673. Cette pièce très inégale en trois actes exploite l'idée burlesque d'une querelle entre les quatre protagonistes, jugés au Parnasse par les muses comique et tragique, et enfin

par Apollon même. Elle attire l'attention en passant sur les mobiles de Titus et la « faiblesse » de la Bérénice de Racine, d'un côté ; et sur les « obscurités » de Tite, les complexités de l'intrigue de *Tite et Bérénice*, et le peu d'amour de l'héroïne cornélienne de l'autre. Le dénouement assez terne offre un jugement en faveur des protagonistes raciniens, tout en ajoutant que « les uns et les autres auraient mieux fait de se tenir au pays de l'histoire, dont ils sont originaires, que d'avoir voulu passer dans l'empire de la poésie, à quoi ils n'étaient nullement propres ».

Deux réactions épistolaires méritent enfin d'être mentionnées :

1. Les lettres de Mme Bossuet et de Bussy-Rabutin (datées respectivement du 5 et du 13 août 1671) :

« Je vous défie, tout révolté que vous puissiez être contre l'amour, de lire [*Bérénice*] sans émotion, et, quelque entêté que vous soyez de la gloire, de ne vouloir pas un mal enragé à Titus de la préférer à une si aimable maîtresse. »

« Il me paraît que Titus n'aime pas [Bérénice] tant qu'il dit, puisqu'il ne fait aucuns efforts en sa faveur à l'égard du sénat et du peuple romain [...] au lieu que s'il eût parlé ferme à Paulin, il aurait trouvé tout le monde soumis à ses volontés [...]. Pour Bérénice, si j'avais été à sa place, j'aurais fait ce qu'elle fit, c'est-à-dire que je serais parti de Rome la rage dans le cœur contre Titus, mais sans qu'Antiochus en valût mieux. »

2. Pour Mme de Sévigné, écrivant à Mme de Grignan le 15 janvier 1672, « *Bajazet* est beau ; j'y trouve quelque embarras sur la fin. Il y a bien de la passion, et de la passion moins folle que celle de *Bérénice*. » Une lettre du 16 septembre de l'année précédente, également à sa fille, donne sa réaction à la critique de Villars, qu'elle trouve « fort plaisante et fort spirituelle ». (On se souvient que, dans la rivalité qui opposa Corneille à Racine, Mme de Sévigné prit le parti de Corneille.)

LE XVIIIe SIÈCLE

La réaction de Rousseau se trouve dans la *Lettre à d'Alembert* de 1758. Il parle surtout et d'abord des sentiments du spectateur face au dilemme de Titus : « Dans quelle disposition d'esprit le spectateur voit-il commencer cette pièce ? Dans un sentiment de mépris pour la faiblesse d'un empereur et d'un Romain, qui balance, comme le dernier des hommes, entre sa maîtresse et son devoir ; qui, flottant incessamment dans une déshonorante incertitude, avilit par des plaintes efféminées ce caractère presque divin que lui donne l'histoire ; qui fait chercher dans un vil soupirant de ruelle le bienfaiteur du monde et les délices du genre humain. Qu'en pense le même spectateur après la représentation ? Il finit par plaindre cet homme sensible qu'il méprisait, par s'intéresser à cette même passion dont il lui faisait un crime, par murmurer en secret du sacrifice qu'il s'est forcé d'en faire aux lois de la patrie. Voilà ce que chacun de nous éprouvait à la représentation. » Ensuite il évoque le pathétique du rôle, pour conclure que « Titus a beau rester Romain, il est seul de son parti, tous les spectateurs ont épousé Bérénice ».

Nous devons à Voltaire quelques remarques techniques et anecdotiques dans sa *Lettre à Horace Walpole* (15 juillet 1768) ; un paragraphe dans le *Commentaire historique sur les œuvres de l'auteur de la Henriade* (1776) ; une partie de la préface des *Scythes* (1768) ; le *Fragment d'une lettre-préface des « Pélopides »* (1772). Cette préface fragmentaire s'ouvre sur quelques remarques, faites en passant, sur *Bérénice*, pour en juger enfin que : « Racine eut beaucoup de peine, avec tous les charmes de sa diction éloquente, à sauver la stérile petitesse du sujet. »

La contribution la plus importante de Voltaire se trouve dans ses *Remarques sur « Bérénice », tragédie de Racine, représentée en 1670*, qui figurent dans ses *Commentaires sur Corneille* (1764). Paradoxalement, le commentaire sur le *Tite et Bérénice* de Corneille n'a jamais été terminé. À côté des commentaires qui développent ses remarques dans la préface, les observations se limitent pour la plupart à des jugements sémantiques et techniques à partir de quelques vers précis. Le début de la « Préface de l'éditeur » est connu : « Un amant et une maîtresse qui se quittent ne sont pas sans doute un sujet de tragédie. Si on avait proposé un tel plan à Sophocle ou à Euripide, ils l'auraient renvoyé à Aristophane. L'amour qui n'est qu'amour, qui n'est point une passion terrible et funeste, ne semble fait que pour la comédie, pour la pastorale, ou pour l'églogue. » Elle se termine ainsi : « Voilà sans contredit la plus faible des tragédies de Racine qui sont restées au théâtre. Ce n'est pas même une tragédie. Mais que de beautés de détail, et quel charme inexprimable règne presque toujours dans la diction ! [...] Mais comment se

peut-il faire que personne depuis Racine n'ait approché de ce style
enchanteur ? Est-ce un don de la nature ? Est-ce le fruit d'un travail
assidu ? C'est l'effet de l'un et de l'autre. »

LE XIXe SIÈCLE

La reprise de *Bérénice* à la Comédie-Française en 1844 a suscité
deux réactions capitales. La première, de Théophile Gautier, reste
dans le domaine de la polémique, évoquant son ennui face à « cette
débâcle d'alexandrins qu'on nomme une tragédie », qu'il assujettit
ensuite à une analyse technique le plus souvent dédaigneuse.
Ensuite c'est au sujet et à la préface qu'il s'en prend, d'un ton
inlassablement ironique, pour terminer sur le jugement célèbre que
« *Bérénice*, à vrai dire, n'est pas une tragédie ; il n'y coule que des
pleurs, et point de sang. C'est une élégie dramatique qui renferme
des morceaux pleins d'une grâce un peu molle et d'une sensibilité un
peu larmoyante ».

La réaction de Sainte-Beuve constitue l'analyse la plus marquante
de la pièce à paraître au XIXe siècle : « Au milieu de l'ensemble si
magnifique et si harmonieux de l'œuvre de Racine, *Bérénice* a droit de
compter pour beaucoup. Certes, nous n'irons pas l'élever au nombre
de ses chefs-d'œuvre [...]. *Bérénice* ne saurait se citer auprès de ces
cinq productions hors de pair [*Andromaque, Britannicus, Iphigénie,
Phèdre, Athalie*] ; elle ne soutiendrait même pas le parallèle avec les
autres pièces relativement secondaires, telles que *Mithridate* et
Bajazet, et pourtant elle a sa grâce bien particulière, son cachet
racinien [...]. C'est du Racine pur, un peu faible si l'on veut, du
Racine qui s'abandonne, qui oublie Boileau, qui pense surtout à la
Champmeslé, et compose une musique pour cette douce voix [...].
On a quelquefois regretté que Racine n'eût pas fait d'élégies ; mais
qu'est-ce donc dans ses pièces que ces rôles délicats [...] bien souvent
passionnés et enchanteurs, Atalide, Monime, et surtout Bérénice ?
[...]
Il faut qu'il y ait beaucoup de science dans la contexture de
Bérénice pour qu'une action aussi simple puisse suffire à cinq actes, et
qu'on ne s'aperçoive du peu d'incidents qu'à la réflexion. Chaque
acte est, à peu de chose près, le même qui recommence ; un des
amoureux, dès qu'il est trop en peine, fait chercher l'autre [...].

Quand un plus long discours hâterait trop l'action, on s'arrête, on sort sans s'expliquer, dans un trouble involontaire [...]. Ce qui est d'un art infini, c'est que ces petits ressorts qui font aller la pièce et en établissent l'économie concordent parfaitement et se confondent avec les plus secrets ressorts de l'âme dans de pareilles situations. L'utilité ne se distingue pas de la vérité même [...]. Racine a eu droit de rappeler en sa préface que la véritable invention consiste à faire quelque chose de rien ; ici ce *rien*, c'est tout simplement le cœur humain, dont il a traduit les moindres mouvements et développé les alternatives inépuisables. »

LE XXe SIÈCLE

La multiplication d'études consacrées à Racine au XXe siècle a beaucoup contribué à la réhabilitation de *Bérénice*, et à sa réintégration au sein des chefs-d'œuvre du dramaturge. Parmi les réactions les plus marquantes (Paul Bénichou, Georges Poulet, Eugène Vinaver, Raymond Picard, René Jasinski), nous en retiendrons quatre qui ont rénové l'interprétation de Racine (non sans d'ailleurs influer sur les mises en scène) tout en proposant de nouvelles directions de recherche.

Lucien Goldmann (Le Dieu caché, 1955).

« ... Des trois personnages de la tragédie, un seul, le, ou plus exactement les personnages tragiques, occupent la scène tout entière. Les deux autres, le *monde* (dans la pièce, la cour) et *Dieu* (dans la pièce, Rome et son peuple), restent pour la plus grande partie cachés derrière les coulisses. À peine la cour est-elle représentée sur scène par Antiochus, qui n'est là que pour souligner le contraste entre lui et les personnages tragiques. D'ailleurs, dans la faune qui constitue le monde, il est de la race la moins nuisible [...] dont la " vertu " sans force et sans grandeur finit toujours par être écrasée. C'est pourquoi [...] il peut au moins paraître dans l'univers des personnages tragiques.

La pièce se joue entièrement entre Titus et Bérénice d'une part et, d'autre part, entre Titus et le Peuple Romain toujours absent et toujours présent à la fois.

[...] Le " long bannissement " de Titus, le temple des Vestales, comme refuge caché derrière le monde, sont la traduction en langage sensible et païen des vies réelles chrétiennes et spirituelles qui ont agi d'une manière décisive sur la pensée et la sensibilité du jeune écolier, élevé à Port-Royal. »

Charles Mauron (L'Inconscient dans l'œuvre et la vie de Jean Racine, 1957).

« [Bérénice] combine en elle les deux images féminines — la tendre amante qu'on voudrait garder prisonnière, la femme possessive dont on redoute l'emprise [...]. C'est la première dont le moi aime les pleurs. Pour la faire souffrir, il s'identifie avec le surmoi, avec le père.

[...] Le sadisme, sous forme spectaculaire, est passé dans le surmoi. Masochiste avec Bérénice, en une communion mélancolique, Titus apparaît sadique au côté du surmoi. Tel est le conflit racinien, bien plus profond que celui de l'amour et du devoir. Il faut un bourreau et une victime. Le moi sera-t-il l'un ou l'autre ? Pour l'instant, son choix paraît net. Pour des raisons de sécurité narcissique, il préfère le sadisme, au moins à l'égard de la femme. Mais une tendance passive apparaît : la soumission à un surmoi désexualisé et qui ne joue encore le rôle de témoin et de juge, non pas moral au sens plein et cornélien du terme — mais politique. La solution qu'il offre au moi tient en trois points :

1. Sécurité du trône et de la sagesse ;
2. Auto-mutilation amoureuse ;
3. Matricide. »

Roland Barthes (Sur Racine, 1963).

« C'est Bérénice qui désire Titus. Titus n'est lié à Bérénice que par l'habitude. C'est au nom du Père, de Rome, bref d'une légalité mythique, que Titus va condamner Bérénice ; c'est en feignant d'être requis par une fidélité générale au passé que Titus va justifier son infidélité à Bérénice [...]. Rome est un pur fantasme. Rome est silencieuse, [Titus] seul la fait parler, menacer, contraindre [...]. *Bérénice* n'est donc pas une tragédie du sacrifice, mais l'histoire d'une répudiation que Titus n'ose pas assumer. »

Peter France (Racine's Rhetoric, 1965).

« *Bérénice* n'est peut-être pas tout à fait typique de Racine, mais elle fournit un excellent exemple de l'emploi des figures passionnelles pour créer le caractère et l'atmosphère. La différence entre Titus et Bérénice (il s'est déjà décidé, elle se décide) peut être décrite en termes de rhétorique. Titus, le Romain stoïque, bien que toujours prêt à s'effondrer en exclamations, phrases rompues et ainsi de suite, essaie typiquement de maîtriser son émotion, s'écartant du langage violent des passions. Bérénice, qui est plus humaine et n'a pas atteint au même degré de dignité, réagit la plupart du temps dans la pièce d'une façon bien plus spontanée — c'est seulement dans sa dernière tirade qu'elle s'éloigne du monde de l'expression violente pour s'approcher de celui de la maîtrise tranquille de soi. Antiochus se situe entre les deux, par moments passionné, par moments maîtrisé et déchaîné. Et le mouvement tout entier de la tragédie peut se discerner dans le conflit entre la violence et le calme, conflit dans lequel le calme finit par vaincre. »

HISTORIQUE ET POÉTIQUE
DE LA MISE EN SCÈNE

« Quand il s'est trouvé des actrices capables de jouer *Bérénice*, elle a toujours été représentée avec de grands applaudissements ; elle a toujours fait verser des larmes : mais la nature accorde presque aussi rarement les talents nécessaires pour bien déclamer qu'elle accorde le don de faire des tragédies dignes d'être représentées. Les esprits justes et désintéressés les jugent dans le cabinet, mais les acteurs seuls les font réussir au théâtre » (Voltaire, préface des *Scythes*, 1768).

LES XVIIᵉ ET XVIIIᵉ SIÈCLES

1670

La première de *Bérénice* eut lieu le 21 novembre 1670, à l'Hôtel de Bourgogne. Distribution : Champmeslé (A) ; Mlle Champmeslé (B) ; Floridor (T).

« Elle eut d'abord plus de trente représentations, un succès, des larmes, des brochures critiques pour et contre, des parodies bouffonnes au Théâtre-Italien, enfin tout ce qui constitue les honneurs de la vogue » (Sainte-Beuve). Selon *Les Entretiens galants* (1681), la Champmeslé, âgée alors de vingt-huit ans et qui était passée, quelques mois auparavant, du Marais à l'Hôtel de Bourgogne où elle avait débuté dans le rôle d'Hermione, « sait conduire [sa voix] avec beaucoup d'art, et elle y donne à propos des inflexions si naturelles, qu'il semble qu'elle ait véritablement dans le cœur une passion, qui n'est que dans sa bouche ». Maurice Descotes note également que « le peu que l'on sait de son talent et de sa personnalité permet d'inférer que Racine [...] avait bien conçu son héroïne à la mesure de l'actrice ».

1724-1728

Reprise à la Comédie-Française en août 1724. Distribution : Quinault-Dufresne (A) ; Mlle [Adrienne] Le Couvreur (B), qui avait joué le rôle pour la première fois en 1717 ; Quinault l'aîné (T).

Cette reprise, selon Sainte-Beuve, « fut extrêmement goûtée » ; celle de 1728 le fut moins. Pour Le Couvreur : « ce que l'on connaît du talent de la comédienne, son sens de la mesure et de l'harmonie poétique, permet [...] de supposer qu'elle fut une Bérénice conforme à la vérité de la figure conçue par Racine » (Descotes).

1752

« La tradition a conservé un vif souvenir du triomphe de Mlle [Jeanne-Catherine] Gaussin en novembre 1752 : telle fut sa magie d'expression dans le personnage de cette reine attendrissante, que le factionnaire même, placé sur la scène, laissa, dit-on, tomber son arme et pleura » (Sainte-Beuve).

Rousseau écrit dans la *Lettre à d'Alembert :* « Tous sentirent que l'intérêt principal était pour Bérénice, et que c'était le sort de son amour qui déterminait l'espèce de la catastrophe. Non que ses plaintes continuelles donnassent une grande émotion durant le cours de la pièce : mais au cinquième acte, où, cessant de se plaindre, l'air morne, l'œil sec et la voix éteinte, elle faisait parler une douleur froide, approchante du désespoir, l'art de l'actrice ajoutait au pathétique du rôle, et les spectateurs, vivement touchés, commençaient à pleurer quand Bérénice ne pleurait plus. » Pour La Harpe : « Une actrice d'une figure aimable, et dont l'organe serait fait pour l'amour, tel qu'était celui de la célèbre Gaussin, attirera la foule à *Bérénice ;* mais tout l'effet tenant à ce seul rôle, si l'exécution n'y répond pas, la pièce n'aura qu'un succès médiocre. »

1783-1788

Trois représentations, selon Sainte-Beuve, en décembre 1783. Le correspondant de *L'Année littéraire* décrit un succès inattendu : « Je craignais de trouver [Bérénice] au milieu d'un désert, parmi quelques auditeurs froids et immobiles ; cependant la salle était pleine [...]. On commence, et mon étonnement s'accroît quand bientôt de tous les coins de la salle partent des applaudissements redoublés, des applaudissements vrais et universels [...]. Le dénouement même a intéressé le spectateur ému, ce dénouement dépourvu de catastrophe [...] ; enfin on pleurait en sortant. »

Selon Sainte-Beuve, reprise de *Bérénice* avec Mlle [Louise] Desgarcins (1770-1797) « à la veille de la Révolution ». Descotes donne la date de 1788, et commente que Desgarcins « y jouait de sa grâce, de sa sensibilité, de la douceur de sa voix ».

LE XIXᵉ SIÈCLE

1807

Deux représentations seulement, en février 1807. Distribution : Talma (A) ; Mlle George (B) ; Damas (T).

Geoffroy écrit après la première : « Il est constant que *Bérénice* n'a point fait pleurer à cette représentation, mais qu'elle a fait bâiller : toutes les dissertations littéraires ne sauraient détruire un fait aussi notoire [...]. C'est que les temps, les spectateurs et les acteurs ont changé. » Selon Talma, cité par Sainte-Beuve, les rôles de Titus et d'Antiochus « étaient de ces rôles à jouer deux fois par an, donnant à entendre par là que ce ton modéré, et assez loin du haut tragique, détend et repose ».

1812

« Les rôles étaient [...] distribués entre Mlle Duchesnois, Talma et Lafon. Talma aurait joué Titus ; mais les choses en restèrent là. On ne conçoit pas, en effet, que la représentation eût été possible sous l'Empire après le divorce ; on y aurait vu trop d'allusions » (Sainte-Beuve).

1844

Première des grandes reprises du XIXᵉ siècle. Distribution : Maillart (A) ; Mlle Rachel (B) ; Beauvallet (T).

Même avec la participation de Rachel il n'y eut que cinq représentations, et cet échec, selon Descotes, « parut condamner la pièce ». Les réactions critiques de Gautier et, surtout, de Sainte-Beuve lui accordent néanmoins un certain prestige.

Sainte-Beuve commente : « La reprise d'aujourd'hui a réussi ; on n'est pas tout à fait revenu aux larmes, mais on accorde de vrais applaudissements ; [...] à la représentation, quelques-unes des qualités dramatiques se retrouvent, et l'intérêt, sans jamais aller au comble, ne languit pas [...]. Mlle Rachel a complètement réussi. Les difficultés du rôle étaient réelles : Bérénice est un personnage tendre, le plus racinien possible. » Plus explicitement : « Un organe pur, encore vibrant et à la fois attendri, un naturel, une beauté continue de diction, une décence tout antique de pose, de gestes, de draperies, ce goût suprême et discret [...], ce sont là des traits charmants sous lesquels Bérénice nous est apparue ; et lorsqu'au dernier acte, pendant le grand discours de Titus, elle reste appuyée sur le bras du fauteuil, la tête comme abîmée de douleur, puis lorsqu'à la fin elle se relève lentement au débat des deux princes, et prend, elle aussi, sa résolution magnanime, la majesté tragique se retrouve alors, se déclare autant qu'il sied et comme l'a entendue le poète [...]. Beauvallet, on lui doit cette justice, a fort bien rendu le rôle de Titus ; de son organe accentué, trop accentué, on le sait, il a du moins marqué le coin essentiel du rôle, et maintenu le côté toujours présent de la dignité impériale. Quant à l'Antiochus, il est suffisant. »

Gautier est moins généreux : « Mlle Rachel, à peine remise d'une longue maladie, a joué, sinon avec tous ses moyens, du moins avec toute son intelligence. Le rôle de Bérénice n'est pas de ceux qui conviennent à son talent [...]. Elle comprend la passion et l'amour, et sait les rendre. Seulement, dans *Bérénice*, elle ne trouve pas 'occasion de faire voir ses autres qualités. Comme perfection de débit, elle a été toujours irréprochable, et, dans la dernière scène, elle s'est montrée tendre, expansive, langoureuse, éplorée, complète en un mot. De ses lèvres, dont l'arc sévère décoche si cruellement l'ironie aux pointes acérées, elle laissait tomber des plaintes molles comme des murmures de colombe mourante, et elle a dit surtout [ses] vers à Antiochus [1495-1504] avec un accent profondément vrai et pénétré. Beauvallet a joué très convenablement Titus comme diction ; mais peut-être avait-il une mine féroce peu en harmonie avec la conduite débonnaire de cet honnête empereur. Maillart a trouvé moyen de se faire applaudir dans le rôle à peu près nul d'Antiochus. C'est adroit. »

1884

La reprise prévue pour la Comédie-Française en 1884 n'eut pas lieu. L'Odéon monta la tragédie la même année, « sans grand éclat » (Descotes). Ainsi, entre 1807 et 1893, *Bérénice* ne fut représentée que cinq fois à la Comédie-Française, soit 138 fois depuis sa création (*Britannicus* 711 ; *Andromaque* 717 ; *Phèdre* 892).

1893

Ce n'est qu'en 1893 et « à l'insistance de Julia Bartet que la Comédie-Française décide, avec les plus vives réticences, de reprendre *Bérénice* » (Jean-Jacques Roubine). L'actrice note dans une lettre à Paul Gaulot : « Nous répétions à six heures du soir, quand tout le monde était parti, comme si nous commettions une action coupable. »

Le metteur en scène fut Mounet-Sully. Distribution : Albert Lambert (A) ; Julia Bartet (B) ; Paul Mounet (T).

Selon une plaquette de la Comédie-Française, « la représentation est une révélation en même temps qu'un triomphe. La presse unanime loue Mme Bartet dont le nom est resté attaché à ce rôle qu'elle interprète 80 fois [entre 1893 et 1919] ». Ainsi, à partir de ce moment, « la pièce a pris rang parmi les grands classiques qui ne sauraient quitter le répertoire ». Les qualités de Julia Bartet semblent avoir prévalu sur tous les autres aspects de ces représentations de fin (et début) de siècle. Descotes, résumant des documents contemporains, les évoque à partir de l'interprétation de la troisième scène du troisième acte : « Une autre marquerait un recul, se détournerait, ferait un geste. Mais Bartet s'arrête et se tient immobile. Elle ne détruit pas la statue » ; sa voix aurait été « tendre, aux intonations volontiers mélancoliques ; une voix qu'on sentait amollie souvent, non par des larmes débordantes, mais par des larmes maîtrisées ». Ses rares critiques lui auraient reproché une insuffisance de férocité.

LE XXe SIÈCLE (AVANT 1945)

1918

Reprise à l'Odéon, mise en scène de Paul Gavault. Distribution : M. Saillard (A) ; Mlle [Jeanne] Briey (B) ; M. Gretillat (T). L'édition qui a accompagné la mise en scène mentionne aussi une « partition inédite de Marcel Rousseau ». Selon la préface, *Bérénice* devrait être [et était ?] jouée avec « une simplicité charmante, [et] un souci constant de la délicatesse des nuances ».

1925 et 1932

Les mises en scène d'entre deux guerres ont laissé peu de souvenirs. *Bérénice* fut montée à la Comédie-Française en 1925 (Mme Colonna Romano (B)) ; et en 1932 au Théâtre Antoine (Véra Sergine (B)). Il serait pourtant utile de retenir en passant la remarque de Descotes, à savoir que dans ces deux mises en scène, à cause d'un érotisme affiché, « on était sur la voie qui devait conduire à la mise en scène célèbre de Gaston Baty ».

1941-1942

Une documentation plus ample nous est parvenue concernant les deux mises en scène du début des années quarante. Dans celle de la Comédie-Française de mars 1941, le rôle de Bérénice fut confié à Geneviève Auger. Elle l'a joué (à l'âge de vingt ans) selon *Le Matin* avec « autorité et [...] fougue ». *Bérénice* fut montée à l'Odéon en octobre de la même année (distribution : Jacques Eyser (A) ; Marguerite Valmond (B) ; Henri Rollan (T)). Mais la distribution à la Comédie-Française en janvier 1942 aurait davantage fait date (Jean Yonnel (A) ; Germaine Rouer (B) ; Jean Chevrier (T)), en particulier parce que, selon *L'Œuvre*, « Jean Yonnel [...] se peut targuer d'avoir rendu, dans *Bérénice*, son rang [...] au noble et dolent Antiochus ».

LE XXe SIÈCLE (1945-1994)

« La fortune dramatique de *Bérénice* a été tardive » (Descotes). Mais la profusion de mises en scène durant la seconde moitié du XXe siècle témoigne de l'inépuisable richesse, ainsi que du potentiel théâtral de ce texte. Roubine nous rappelle que *Bérénice* a été, avec *Phèdre*, la pièce racinienne « la plus souvent reprise de notre époque ». Nous nous bornerons à signaler quatre mises en scène d'après guerre jugées comme exceptionnelles, avant de mentionner deux des plus récentes.

1946

Mise en scène de Gaston Baty à la Comédie-Française. Distribution : Maurice Donneaud (A) ; Annie Ducaux (B) ; Jean Yonnel (T). La musique de Jean-Philippe Rameau fut adaptée par André Cadou. La première eut lieu le 16 décembre.

Baty écrit dans le programme : « Nous avons tenté de lui restituer [à *Bérénice*], par-delà sa perfection poétique, sa force théâtrale [...]. Quelques-uns nous reprocheront peut-être les moyens visuels auxquels nous avons dû recourir [...]. D'autres penseront sans doute que Racine n'appelle pas d'autre musique que celle de ses vers [...]. Qu'importerait cependant les moyens si nous avons atteint le but et si le chef-d'œuvre revivait dans l'âme du spectateur, tel que jadis ? »

Certains détails sont fournis par Arthur Simon : « [Baty] avait placé une énorme stèle surmontée d'une louve au centre de la scène. Lorsque les rideaux s'ouvraient, on voyait des vierges vestales agenouillées devant les autels où montaient des nuages d'encens. Puis, ses " Romains " s'inclinaient chaque fois qu'ils passaient devant leurs dieux, soit en entrant sur la scène, qui représentait un jardin romain, soit en la quittant [...]. Enfin, dans la dernière scène, Titus [...] s'avançait sur la scène, le regard fixe dirigé vers les spectateurs ; il se plaçait, à côté de la stèle, les bras croisés. »

La réaction critique fut largement (mais non exclusivement) féroce. Pour Jean-Jacques Gautier, dans *Le Figaro*, la mise en scène était « un temple monumental de l'hérésie et de l'absence de goût » ; et, selon *Combat*, des manifestations suivies d'arrêts eurent lieu au mois de février 1947.

Seul le critique du *Monde*, Robert Kemp, offre une optique plus équilibrée : « Cette représentation [...] a réchauffé *Bérénice*, que les interprétations fossilisaient. Depuis Bartet il n'y a pas de reine de Judée qui valût Annie Ducaux, qui eût autant de beauté, d'appel, de race, de fièvre, ni une diction aussi intelligente, variée et féminine. Quant à Yonnel, il ..st merveilleux d'émotion, de simplicité et de grandeur. Donneaud ? Il dit le premier monologue d'Antiochus avec un art achevé. » À propos de la mise en scène et des gestes des acteurs, Kemp exprime son enthousiasme nuancé de réserves : « On peut supprimer quelques gestes. Mais la bête symbolique, conservons-la. Elle éclaire la pièce, noblement. Je défendrai encore, après le IV, l'apparition [...] du Sénat, des tribuns, des consuls, des aigles romaines [...]. Cela crée un élargissement lyrique. Le ton seul du ciel — carte postale en couleurs — est regrettable... Enfin, je défends, de toutes mes forces, l'alternance de la musique de Rameau et des mots de Racine, dans la scène d'attente et d'agitation de Bérénice. Ce qu'il faut, d'urgence, supprimer, c'est au IV, scène 5, cette Bérénice impudique [...] étendue sur les genoux de Titus. »

1955

À la *Bérénice* controversée de Baty a succédé celle, également contestée, de Jean-Louis Barrault au théâtre Marigny. Distribution : Jean-Louis Barrault (A) ; Marie Bell (B) ; Jacques Dacqmine (T). Décors et costumes de Léonor Fini.

Barrault nous laisse d'amples indications sur ses intentions dans ses « Réflexions rapides après *Bérénice* » : il a cherché à représenter « l'individu aux prises avec la collectivité » dans « un lieu poétique, resserré et perdu dans l'indéfini ». Les couleurs et les costumes sont inspirés des fresques de Pompéi. Une grande importance est accordée aux vers, au détriment des mouvements scéniques qui, eux, sont remplacés par « une succession d'attitudes ».

C'est de nouveau Robert Kemp qui, dans *Le Monde,* fournit la critique la plus équilibrée (parmi bon nombre d'autres critiques favorables — Jean Guignebert dans *Libération* parle d'une mise en scène « d'une savante simplicité »). Kemp écrit à propos de la Bérénice de Marie Bell : « Toutes les attitudes étaient nobles et simples. La voix n'a jamais eu plus de douceur, de pénétration. La diction plus de clarté. » De plus : « Dacqmine est très beau. Plastiquement d'abord, dans les plis jaune d'or, la ceinture d'or et le lin blanc. » Pourtant, pour lui, « la mise en scène était plate et banale » et le décor « d'une salle à manger 1880 dont les déménageurs viennent d'enlever les meubles ».

1966/1970

La *Bérénice* de Roger Planchon fut d'abord présentée au Théâtre de la Cité à Villeurbanne en 1966 ; ensuite au Théâtre Montparnasse à Paris en 1970 ; et entre-temps à Londres et à Rome. Elle fut jouée sans entracte. Distribution : Denis Manuel (A) ; Francine Bergé (B) ; Sami Frey (T). Décors et costumes de René Allio.

Planchon constate dans le programme les difficultés qu'il perçoit chez Racine, avant d'esquisser des solutions scéniques. Il note que « les personnages se détachent dans ce spectacle sur des lignes droites, des parallèles, etc. », cela afin de « donner un équivalent des contraintes imposées par la diction des vers de douze pieds ». La scène prend la forme d'une « boîte à miroirs ». Ailleurs, dans des interviews, Planchon précise que « le jeu est très lent comme un Nô japonais, chaque terme en est clair. Lorsque nous disons une phrase, nous lui donnons un sens précis, mais naïf ».

Encore plus que celle de ses prédécesseurs, cette mise en scène a divisé l'opinion critique, dont les réactions vont de l'extase (« par cette *Bérénice*, la France va ré-apprendre Racine », *Les Nouvelles Littéraires*) au désespoir (« Je n'ai pas entendu un vers, pas reconnu un rythme, pas senti une seule cadence, une once de mélodie, le moindre chant, ni de la voix ni du cœur » (*Le Figaro*)). C'est le critique du *Monde* (Bertrand Poirot-Delpech) qui résume le mieux l'effet des représentations. Il évoque « un souci pointilleux de ce que les personnages disent effectivement, à l'exclusion de ce que trois siècles de glose leur ont fait dire [...], une approche de l'œuvre à travers ses problèmes pratiques [...] ; chaque geste, chaque temps, chaque rupture de ton est rigoureusement justifié. Chaque vers reçoit un éclairage d'une intelligence, d'une sensibilité, d'une cohérence et d'un naturel qui en renouvellent complètement la compréhension de l'émotion ». Chez Titus, « les attitudes se succèdent sans transition, presque d'un vers à l'autre, avec la même vraisemblance, selon une ambiguïté impénétrable, au bord d'un aveu qui se dérobe ». Bérénice est « peut-être plus saisissante encore dans la mesure où son personnage lui propose des registres encore plus distants l'un de l'autre ».

1980

La *Bérénice* d'Antoine Vitez fut montée au Théâtre des Quartiers d'Ivry et aux Amandiers de Nanterre. Distribution : Antoine Vitez (A) ; Madeleine Marion (B) ; Pierre Romans (T).

Vitez écrit dans le programme : « Il s'agit bien de l'histoire romaine, et non point d'une autre [...]. Bien entendu c'est de son temps à lui aussi qu'il parle, ainsi que nous aujourd'hui du nôtre, qu'on le veuille ou non, mais c'est Rome qu'il veut comprendre et montrer [...]. Pour jouer cette histoire, nous essaierons de retrouver les lois de la tragédie française, et d'abord sa lumière. Point de faisceau qui viole l'épaisseur noire de la salle. Il ne s'agit après tout que d'une conversation sous les lustres. Mais pleine de dangers : on se fait des blessures atroces par les mots qu'on dit, on ne crie pas, on ne se touche pas, la tête éclate. »

D'autres précisions sont fournies dans l'article de Michel Cournot dans *Le Monde* : il insiste notamment sur le décor « franchement Louis XIV et franchement romain à la fois, sans que l'œil du spectateur perçoive une dissension quelconque » et sur la diction, qui « fait entendre chacun des vers comme un envoi indépendant de paroles », considérant que « toute diction plu⏀ .aturaliste, plus coulée, détruit la base de ce théâtre ».

1984

Mise en scène de Klaus Michael Grüber à la Comédie-Française. Distribution : Marcel Bozonnet (A) ; Ludmila Mikaël (B) ; Richard Fontana (T).

Le programme fournit l'aperçu suivant de Jean-Loup Rivière : « La brillance de *Bérénice* est étrange comme la place de cette pièce dans le grand corpus tragique. Ni née d'un crime, ni close par une violence, la pièce accomplit son destin de tragédie en n'étant rien que le bris d'un silence qui précède un retour au silence. D'où que ce numéro chuchote ou se tait. Pas de commentaires en surplus, des " comment-se-taire " plutôt, pour mieux entendre ce qu'on dit être la musique racinienne [...], pour voir les images dont les siècles ont revêtu les motions mi-tacites mi-avouées du trio désaccordé. »

C'est de nouveau au *Monde* que nous nous en remettons pour une réaction objective à la mise en scène par Colette Godard, dont nous retiendrons seulement la conclusion : « Grüber distord l'harmonie racinienne, la tire vers la prière funèbre. En tout cas, sur un ton à peine modulé, il utilise admirablement la musique des alexandrins. Les mots s'étouffent, puis se projettent, sans cri. Alternances d'émotions confuses et de dureté. Une musique rare, un spectacle rare [...], étouffant parfois jusqu'à l'insoutenable et parfois jusqu'à l'ennui. Un tel radicalisme dans la morbidité rebute et en même temps retient, et en définitive garde sa fascination bien après le point d'orgue désolé de la dernière page. »

1992

Signalons en dernier lieu la mise en scène de Christian Rist, inaugurée au Théâtre de l'Athénée-Louis-Jouvet en 1992. Distribution : Simon Bakhouche et Philippe Müller (A) ; Katia Caballero et Fejria Deliba (B) ; Bruno Karl Boës et Arnaud Décarsin (T).

Cette simple liste indique la particularité de cette interprétation, qui résidait surtout dans le dédoublement des rôles principaux. Le metteur en scène ne fait pas de commentaire dans le programme. Selon notre avis, la conception tendait à mettre en valeur les divisions psychologiques chez les trois protagonistes ; mais cette réalisation mimétique nuisait à la concentration. La diction était sobre, ainsi que les costumes en gris, bleu et rouge (les acteurs

étaient pieds nus) ; la représentation était ininterrompue ; la musique limitée à quelques discrètes interventions de tambour et de
chant. La scène presque nue était dallée de briques romaines selon
une disposition irrégulière.

BIBLIOGRAPHIE

Racine, *Œuvres complètes*, édition de Raymond Picard, Gallimard (Pléiade), 2 vol., 1950, 1952.
  Théâtre complet, édition de Jean-Pierre Collinet, Gallimard (Folio), 2 vol., 1982 et 1983.

Akerman, Simone, *Le Mythe de Bérénice*, Nizet, 1978.
L'Année littéraire, Paris, 1783.
Antoine, Gérald, *Racine : Bérénice*, CDU, 1957.
Backès, Jean-Louis, *Racine*, Seuil (Écrivains de toujours), 1981.
Barnwell, Harry T., *The Tragic Drama of Corneille and Racine*, Oxford, Clarendon Press, 1982.
Barrault, Jean-Louis, « Réflexions rapides après *Bérénice* », in *Cahiers Renaud-Barrault* 8 (1955), p. 116-125.
Barthes, Roland, *Sur Racine*, Seuil, 1963.
Batache-Watt, Emy, *Profils des héroïnes raciniennes*, Klincksieck, 1976.
Baty, Gaston, *Bérénice* (programme), Théâtre de la Comédie-Française, 1946.
Bénichou, Paul, *Morales du grand siècle*, Gallimard, 1948.
Biard, Jean-Dominique, « Le ton élégiaque dans *Bérénice* », in *French Studies* 19 (1965), p. 1-15.
Bussy-Rabutin, Roger de, *Correspondance avec Mme Bossuet*, in Michaut, p. 301-304.
Butler, Philip, *Classicisme et baroque dans l'œuvre de Racine*, Nizet, 1959.
Copferman, Émile, *Roger Planchon*, Lausanne, Éditions de l'Âge d'homme, 1969.
  Théâtres de Roger Planchon, 10/18, 1977.
Corneille, *Œuvres complètes*, Gallimard (Pléiade), 3 vol., 1980-1987.

Dainard, J. Alan, « The power of the spoken word in *Bérénice* », in *Romanic Review* 67 (1976), p. 157-171.

Defaux, Gérard, « The case of Bérénice : Racine, Corneille and mimetic desire », in *Yale French Studies* 76 (1989), p. 211-239.

Descotes, Maurice, *Les Grands Rôles du théâtre de Jean Racine*, PUF, 1957.

Les Entretiens galants, Paris, 1681.

Flavius Josèphe, *Les Antiquités juives*, éd. Étienne Nodet, Éditions du Cerf, 1 vol. paru, 1992.
    La Guerre des Juifs, éd. André Pelletier, Les Belles Lettres, 3 vol., 1975-1982.

France, Peter, *Racine's Rhetoric*, Oxford, Clarendon Press, 1965.

Gautier, Théophile, *Les Maîtres du théâtre français*, Payot, 1929.

Geoffroy, Louis, *Cours de littérature dramatique*, Pierre Blanchard, 4 vol., 1819.

Goldmann, Lucien, *Le Dieu caché*, Gallimard (Bibliothèque des Idées), 1955.

Greenberg, Mitchell, « *L'Astrée*, classicism and the illusion of modernity », in *Continuum* 2 (1990), p. 1-25.

Hawcroft, Michael, *Word as Action : Racine, Rhetoric and Theatrical Language*, Oxford, Clarendon Press, 1992.

Hubert, Judd D., *Essai d'exégèse racinienne*, Nizet, 1985 (1re éd. : 1957).

Jasinski, René, *Vers le vrai Racine*, A. Colin, 1958.

La Harpe, Jean-François de, *Lycée*, Firmin Didot, 3 vol., 1840-1847.

Le Leyzour, Philippe, *Les Bérénices, textes et figures*, Musée national des Granges de Port-Royal, 1992.

Magnon, Jean, *Tite* (1660), éd. H. Bell, Baltimore, Johns Hopkins, 1936.

Maskell, David, *Racine, a Theatrical Reading*, Oxford, Clarendon Press, 1991.

Mauron, Charles, *L'Inconscient dans l'œuvre et la vie de Jean Racine*, Gap, Éditions Ophrys, 1957.

Michaut, Gustave, *La « Bérénice » de Racine*, Société Française d'Imprimerie et de Librairie, 1907.

Montfaucon de Villars, abbé, *Critique de « Bérénice »* (1671), in Michaut, p. 241-259.

Mourgues, Odette de, *Autonomie de Racine*, Corti, 1967.

Parish, Richard, « " Un calme si funeste " ; some types of silence in Racine », in *French Studies* 34 (1980), p. 385-400.

Racine : the Limits of Tragedy, Paris-Seattle-Tübingen, Papers on Seventeenth-Century French Literature (Biblio 17), 1993.

Phillips, Henry, « The theatricality of discourse in Racinian tragedy », in *Modern Language Review* 84 (1989), p. 37-50.

Picard, Raymond, *La Carrière de Jean Racine,* Gallimard, 1956.

Planchon, Roger, *Bérénice* (programme), Théâtre de la Cité de Villeurbanne, 1966.

Poulet, Georges, *Études sur le temps humain,* Plon, 1949.

Racine, Louis, *Mémoires sur la vie de Jean Racine,* in Racine, *Œuvres complètes,* I, p. 5-102.

Ratermanis, J.-B., *Essai sur les formes verbales dans les tragédies de Racine,* Nizet, 1972.

Réponse du Sieur de S*** (1671), in Michaut, p. 274-300.

Rivière, Jean-Loup, *Bérénice* programme de la mise en scène de K.-M. Grüber), Théâtre de la Comédie-Française, 1984.

Rohou, Jean, *L'Évolution du tragique racinien,* Sedes, 1991.

Roubine, Jean-Jacques, *Lectures de Racine,* A. Colin, 1971.

Rousseau, Jean-Jacques, *Lettre à M. d'Alembert sur les spectacles* (1758), Gallimard, Folio, 1987.

Sainte-Beuve, C.-A., *Œuvres,* Gallimard (Pléiade), 2 vol., 1949, 1951.

Sévigné, Mme de, *Correspondance,* Gallimard (Pléiade), 3 vol., 1972-1978.

Siguret, Françoise, « *Bérénice/Impératrice :* lecture d'une rime », in *French Forum* 3 (1978), p. 125-131.

Simon, Arthur, *Gaston Baty théoricien du théâtre,* trad. A. Simon et J. Kohlmann, Klincksieck, 1972.

Steiner, George, *La Mort de la tragédie* (1961), trad. Rose Celli, Gallimard, Folio essais, 1993.

Suétone, *Vie des douze Césars,* éd. Henri Ailloud (Les Belles Lettres, 3 vol., 1931-1932), Gallimard, Folio, 1975.

Sussman, Ruth, « *Bérénice* and the tragic moment », in *Esprit créateur* 15 (1975), p. 241-251.

Tacite, *Histoires,* éd. Henri Goelzer (Les Belles Lettres, 2 vol., 1939-1946), Gallimard, Folio, 1980.

Tite et Titus, ou les Bérénices, Utrecht, 1673, in Michaut, p. 305-353.

Vaudoyer, Jean-Louis (éd.), « *Bérénice* » *de Racine* (plaquette), Théâtre de la Comédie-Française, 1957.

Vinaver, Eugène, *Racine et la poésie tragique,* Nizet, 1951.

Vitez, Antoine, *Le Théâtre des idées,* éd. Danielle Sallenave et Georges Banu, Gallimard, 1991.

Voltaire, *Commentaire historique sur les œuvres de l'auteur de la Henriade,* Bâle, Paul Duker, 1776.

Correspondance, Gallimard (Pléiade), 13 vol., 1963-1992.

Les Pélopides, Genève et Paris, Valade, 1772.

Remarques sur « Bérénice », tragédie de Racine, in *Commentaires sur Corneille* (1764), Oxford, Voltaire Foundation, 3 vol., (53-55) 1974-1975, III, 938-956.

Les Scythes, Paris, Lacombe, 1768.

Weinberg, Bernard, *The Art of Jean Racine,* Chicago, University of Chicago Press, 1963.

NOTES

Page 32.

1. Horace, *Art poétique*, v. 23 : « *Denique sit quidvis simplex duntaxat et unum.* »

Page 34.

1. Un musicien disait à Philippe : anecdote tirée d'un traité de Plutarque, *Comment on pourra discerner le flatteur d'avec l'ami*, XLVII. Il s'agit d'une réponse au roi « qui disputait et contestait [...] de la manière de toucher les cordes d'un instrument de musique ».
2. Le libelle que l'on a fait contre moi : il s'agit de la *Critique de « Bérénice »* de l'abbé de Villars.
3. Protase, catastrophe : ces termes (vieillis) correspondent à l'exposition et au dénouement.

Page 36.

1. Comagène : région de la Syrie s'étendant entre la Cilicie et l'Euphrate (voir v. 767).

Page 37.

1. Généreux : *generosus*, de bonne race. Ce terme aristocratique, qui établit tout de suite l'éthique de la pièce, sera repris par Bérénice au v. 1469.

Page 38.

1. Variante des éditions de 1671-1687 :
> *Ah ! puisqu'il faut partir, partons sans lui déplaire :*
> *Je me suis tu longtemps, je puis encore me taire.*

Page 42.

1. La source du récit du siège de Jérusalem est dans *La Guerre des Juifs* de Flavius Josèphe (voir ci-dessus préface, p. 10).

Page 44.

1. Variante de 1671 :
> *Aujourd'hui que les dieux semblent me présager*
> *Un honneur qu'avec lui je prétends partager.*

Page 46.

1. Variante de 1671 :
> *Au nom des dieux, parlez ; c'est trop longtemps se taire.*

2. Agrippa II, dit Hérode Agrippa (?27-?93 après J.-C.), fils d'Agrippa Ier, roi de Chalcis en 50. Lors du soulèvement de la Judée (66-70), il combattit dans les rangs des Romains. Il fut présent au siège de Jérusalem.

3. L'ambiguïté est voulue : les victoires militaires de Titus prennent pour Antiochus un sens personnel et métaphorique.

Page 47.

1. Variante de 1671 :
> *Mais puisque après cinq ans j'ose me déclarer,*

Page 48.

1. Césarée : ville de Palestine sur la Méditerranée, résidence du procurateur romain. Racine en fait la capitale de Bérénice.

Page 50.

1. Variante de 1671 :
> *Tu verras le sénat m'apporter ses hommages,*
> *Et le peuple de fleurs couronner nos images.*

Page 51.

1. Variante de 167 :
> *Dieux ! avec quel respect et quelle complaisance*

2. Variante de 1671-1687 :
> *De son règne naissant consacre les prémices.*
> *Je prétends quelque part à des souhaits si doux.*
> *Phénice, allons nous joindre aux vœux qu'on fait pour nous.*

Page 55.

1. Félix, frère de Pallas (l'un et l'autre affranchis de l'empereur Claude), épousa en premières noces Drusilla, petite-fille d'Antoine et de Cléopâtre, puis une autre Drusilla, fille d'Agrippa Ier.

Page 56.

1. L'Idumée était une contrée de la Palestine (Édom).

Page 57.

1. Variante de 1671 :
>   *Avec tout mon amour, Paulin, et tous ses charmes,*

2. C'est Titus, et non le sénat, qui prend la décision d'exiler Bérénice. Cet acte d'intériorisation reporte tout l'intérêt sur la psychologie et sur les mobiles de Titus.

Page 58.

1. Variante de 1671 :
>   *Que la perte d'un cœur qu'elle a trop mérité.*

Page 59.

1. Variante de 1671 :
>   *Ma main avec plaisir apprit à se répandre.*

Page 61.

1. Variante de 1671 :
>   *De vos nobles desseins, seigneur, qu'il vous souvienne.*

Page 63.

1. Variante de 1671-1687 :
>   *Pourquoi des immortels attester la puissance ?*

2. Variante de 1671-1687 :
>   *Plût aux dieux que mon père, hélas ! vécût encore !*

Page 65.

1. Variante de 1671 :
>   *Madame, je me perds d'autant plus que j'y pense.*

Page 71.

1. Cilicie : province romaine à l'ouest de la Comagène et voisine de la Syrie.

Page 86.

1. Allusion à Suétone : « Un soir à table, se rappelant que, pendant tout le jour, il n'avait accordé de bienfait à personne, il prononça cette parole mémorable, que l'on célèbre avec raison : " Mes amis, j'ai perdu ma journée " » (*Titus*, VIII).

2. La concision brutale de ce distique constitue une brève paraphrase de la célèbre citation de Suétone. C'est comme si, après toutes les variations des scènes précédentes, le thème s'annonçait

Page 91.

1. On reconnaît tour à tour : Régulus, qui, pour tenir son serment, revint de Rome à Carthage, où le supplice l'attendait (256 avant J.-C.) ; Manlius Torquatus, qui fit décapiter son fils pour avoir livré sans ordre un combat singulier dont il sortit pourtant vainqueur (340 avant J.-C.) ; enfin Brutus, l'un des fondateurs de la République romaine, lequel fit mourir ses deux fils qui avaient conspiré pour rétablir les Tarquins sur le trône (VIᵉ siècle avant J.-C.).

La variante suivante de 1671 montre que ces traits ont été ajoutés en 1676 :

> *Vous les verriez toujours, jaloux de leur devoir,*
> *De tous les autres nœuds oublier le pouvoir :*
> *Malheureux ! mais toujours la patrie et la gloire*

Page 94.

1. Variante de 1671-1687 :

> *Allez, seigneur, allez vous montrer à sa vue*

Page 95.

1. Variante de 1671 :

SCÈNE IX

ANTIOCHUS, ARSACE

ANTIOCHUS

Arsace, que dis-tu de toute ma conduite ?
Rien ne pouvait tantôt s'opposer à ma fuite.
Bérénice et Titus offensaient mes regards :
Je partais pour jamais. Voilà comme je pars.
Je rentre, et dans les pleurs je retrouve la reine.

J'oublie en même temps ma vengeance et sa haine ;
Je m'attendris aux pleurs qu'un rival fait couler ;
Moi-même à son secours je le viens appeler ;
Et si sa diligence eût secondé mon zèle,
J'allais, victorieux, le conduire auprès d'elle.
Malheureux que je suis ! avec quelle chaleur
J'ai travaillé sans cesse à mon propre malheur !
C'en est trop. De Titus porte-lui les promesses,
Arsace. Je rougis de toutes mes faiblesses.
Désespéré, confus, à moi-même odieux,
Laisse-moi ; je me veux cacher même à tes yeux.

Page 100.

1. Variante de 1671-1687 :
        Ces chiffres, où nos noms enlacés l'un dans l'autre

Page 102.

1. À la première représentation, la lettre de Bérénice fut lue tout haut. « Mais cette lettre ayant été appelée par un mauvais plaisant le testament de Bérénice, Titus se contenta depuis de la lire tout bas » (Louis Racine, *Remarques sur « Bérénice »*). L'abbé de Villars évoqua le « poulet funèbre ».

2. Variante de 1671-1687 :
        Je m'attendris, madame, à toutes les douleurs

Page 103.

1. Variante de 1671-1687 .
        Et je vois bien qu'après tous les pas que j'ai faits,

Page 105.

1. Variante de 1671-1687 :
        Je crois tout : je connais votre amour.
        Mais vous, connaissez-moi, seigneur, à votre tour.

Page 107.

1. Titus était appelé « les délices du genre humain » (voir ci-dessus, préface, p. 9).

2. Racine garde deux effets pour son tout dernier vers : l'adieu surajouté renforce le pathétique déjà presque insupportable de ce moment ; et le « Hélas ! » d'Antiochus. Par ce motif inauguré tant de

scènes auparavant, et réitéré tant de fois durant la pièce, Antiochus accepte la responsabilité de clore la séquence tragique ; de subvenir une dernière fois à l'inexpressivité de Titus ; et de sceller sa propre exemplarité.

RÉSUMÉ

I, I. Antiochus, roi de Comagène, de retour à Rome, cherche à obtenir un entretien avec Bérénice, reine de Palestine.

I, II. Antiochus expose dans un monologue ses sentiments à l'égard de Bérénice, ainsi que son renoncement dans le passé à toute expression de leur amour.

I, III. Bérénice, selon Arsace, le confident d'Antiochus, se prépare à épouser Titus, empereur de Rome depuis la mort de son père Vespasien. Antiochus, ancien compagnon d'armes de Titus, quittera donc Rome après un entretien avec la reine.

I, IV. Antiochus, lors de son entretien avec Bérénice, lui déclare que son amour n'a pas faibli, et lui annonce sa décision de quitter Rome, face au mariage prévu.

I, V. Bérénice, qui n'oublie pas que les Romains sont hostiles à l'existence chez eux d'une reine, reprend toutefois confiance en évoquant l'apothéose de Vespasien et les vœux que le peuple a formés pour Titus.

II, I. Titus fait part à Paulin, son confident, de son inquiétude à propos du sort de Bérénice.

II, II. Titus confie à Paulin son amour pour Bérénice et lui annonce la décision qu'il a prise, malgré lui, d'exiler la reine.

II, III. Bérénice demande un entretien avec l'empereur.

II, IV. Lors d'un dialogue avorté, l'empereur ne parvient pas à dire à la reine passionnée sa décision de la renvoyer.

II, V. Bérénice cherche à interpréter la froideur de l'empereur

III, I. Titus demande à Antiochus, au nom de leur amitié, de lui servir de porte-parole et de communiquer son ordre à Bérénice.

III, II. Antiochus, face à la perspective de partir avec Bérénice, éprouve momentanément un sentiment d'espoir confus.

III, III. Après de nombreuses hésitations, Antiochus annonce à la reine foudroyée la décision de Titus. Bérénice, à son tour, bannit Antiochus de sa présence.

III, IV. Antiochus, de nouveau, se décide à partir.

IV, I. Désarroi de Bérénice qui attend Titus.

IV, II. Phénice annonce la venue de l'empereur et prie Bérénice, dont la détresse est visible, de se remettre.

IV, III. Titus prépare son entretien avec la reine.

IV, IV. Monologue angoissé de Titus.

IV, V. Première scène d'affrontement explicite entre la reine et l'empereur. Bérénice accuse Titus de ne plus l'aimer ; Titus, réduit aux larmes, ne révoque pas son ordre. Bérénice annonce qu'elle va se suicider.

IV, VI. Titus, de nouveau, expose son dilemme à Paulin.

IV, VII. Antiochus fait part à Titus de la détresse de Bérénice.

IV, VIII. Titus écoutera la voix romaine ; ensuite il convaincra la reine de son amour pour elle.

V, I-II. Antiochus connaît un bref renouveau d'espoir, à la suite de la décision que Bérénice a prise de partir, et des marques d'approbation que l'empereur reçoit de la foule.

V, III. Titus, avant d'entrer dans l'appartement de Bérénice, invite Antiochus à être témoin de son amour pour elle.

V, IV. Antiochus tombe à nouveau dans le désespoir.

V, V. Deuxième scène d'affrontement entre Titus et Bérénice. Titus lit une lettre de Bérénice où elle menace de se suicider. Bérénice s'affaisse sur un siège.

V, VI. Titus, seul avec Bérénice, parvient à la convaincre de son amour pour elle, et annonce, lui aussi, l'intention de se suicider.

V, VII. Antiochus, convoqué par Titus, se déclare le rival de l'empereur ; son suicide s'ajoutera aux deux autres. Bérénice se relève, et au nom de leur amour mutuel, et à son instar, demande aux deux princes de rester en vie. Le trio exemplaire se dissoudra.

DU MÊME AUTEUR

Dans la collection Folio classique

THÉÂTRE COMPLET, tomes I et II. *Édition présentée et établie par Jean-Pierre Collinet.*

ANDROMAQUE. *Préface de Raymond Picard. Édition établie par Jean-Pierre Collinet.*

BRITANNICUS. *Édition présentée et établie par Georges Forestier.*

PHÈDRE. *Édition de Raymond Picard.*

Dans la collection Folio théâtre

BAJAZET. *Édition présentée et établie par Christian Delmas.*

PHÈDRE. *Édition présentée et établie par Christian Delmas et Georges Forestier.*

IPHIGÉNIE. *Édition présentée et établie par Georges Forestier.*

MITHRIDATE. *Édition présentée et établie par Georges Forestier.*

ATHALIE. *Édition présentée et établie par Georges Forestier.*

COLLECTION FOLIO THÉÂTRE

Composition Bussière
et impression Bussière Camedan Imprimeries
à Saint-Amand (Cher),
le 28 mars 2003.
Dépôt légal : mars 2003.
1ᵉʳ dépôt légal dans la collection : août 1994.
Numéro d'imprimeur : 031712/1.
ISBN 2-07-038686-4./Imprimé en France.